selbst ist der Mann

Ideen für die Hausbar

Das Heimwerkerbuch mit vielen farbigen Abbildungen

MOEWIG

Verlagsunion Erich Pabel-Arthur Moewig KG, Rastatt

4. Auflage

Originalausgabe

Redaktion: Gerrit Wöckener
Umschlagentwurf und -gestaltung: Werbeagentur Zeuner, Ettlingen
Umschlagfotos: Redaktionsarchiv „Selbst ist der Mann“
Auslieferung in Österreich:
Pressegroßvertrieb Salzburg Gesellschaft m. b. H., Niederalm 300, A-5081 Anif
Printed in Germany 1991
Druck und Bindung: Mohndruck Graphische Betriebe GmbH, Gütersloh
ISBN 3-8118-8337-2

Inhalt

Der schönste Platz . . .

Geselligkeit im Keller, zu ebener Erde oder auch unterm Dach – die Hausbar gehört heute zu den Einrichtungen, die in vielen Häusern zu finden sind und sehr oft auch von den Eigentümern selbst gebaut werden. Hier nun eine Ausführung, die als Elementsystem konzipiert wurde und daher leicht den verschiedenartigsten Raumverhältnissen angepaßt werden kann.

Wichtigstes Bindeglied zwischen den einzelnen Elementen sind Trapezverbinder, wie sie auch vielfach in Kleiderschränken Verwendung finden. Ihre Vorzüge: Zum einen ergeben sie eine stabile Verbindung, und zum anderen sind sie – wenn nötig oder gewünscht – auch leicht wieder zu demontieren.

Als Material haben wir Tischlerplatte und kieferfurnierte Spanplatte gewählt. Wer es preiswerter möchte, kann auch rohe oder laminierte Spanplatte verarbeiten und dann die Oberfläche gestalten, wie er will. Unter der Arbeitsplatte befindet sich eine 60 cm breite Nische, in der ein Kühlschrank Platz findet. An der Stirnseite des Tresens sorgt ein Spüleinsatz für saubere Gläser.

Die ganze Bar besteht aus folgenden Teilen: dem Podest mit der Bank, drei Thekenelementen, die den eigentlichen Tresen tragen und gleichzeitig den nötigen Stauraum hinter der Bar liefern, dann natürlich dem Tresen und dem obligatorischen Fußsockel. Die Materialliste ist ziemlich lang; daher empfiehlt es sich, das Holz (sofern man es gleich fertig zugeschnitten kauft) ein paar Tage vor Baubeginn zu bestellen.

Der Unterbau des Podestes wird stumpf verleimt und genagelt. Die drei Stützelemente erhalten vorn einen Treppenausschnitt von 220×180 mm, was bedeutet, daß der Überstand der Stufen 30 mm beträgt. Für die Seiten gilt derselbe Überstand.

Die praktischen Trapezverbinder sorgen für eine stabile und dennoch leicht wieder zu lösende Verbindung. Sie benötigen für unser Bauvorhaben 63 davon. Die ersten sechs brauchen Sie, um damit die Bank auf dem Podest zu verankern.

Materialliste

Anz.	Bezeichnung	Maße in mm	Material
	Podest:		
3 1 1 1	Stützelemente Querteil Deckplatte Stufe	1430 × 340 800 × 340 1280 × 800 800 × 270	Spanplatte 19 mm dick
2	Frontteile	160 × 800	Tischlerpl. 19 mm dick
	Bank:		
3 1	Seiten Sitz	780 × 420 1220 × 380	Tischlerplatte 19 mm dick
1	Rückenteil	1220 × 380	Sperrholz 10 mm dick
1	Armleiste	1220 lang	Kiefer 20 × 50 mm
	Erstes Thekenelement:		
1 1 2	Front Seite Böden	1100 × 900 850 × 600 881 × 600	Tischlerplatte 19 mm dick
1	Arbeitsplatte	900 × 600	Spanpl. besch. 22 mm dick
	Zweites Thekenelement:		
1 1 1 2	Front Kopfteil Seite Böden	1100 × 900 1100 × 600 850 × 600 881 × 600	Tischlerplatte 19 mm dick
3	Auflageleisten	550 lang	Sperrholz 10 × 60 mm
1	Eckleiste	1190 lang	Kiefer 19 × 19 mm
1	Arbeitsplatte	900 × 600	Spanpl. besch. 22 mm dick
	Drittes Thekenelement:		
1 3 2	Front Seitenwände Böden	1100 × 900 850 × 600 240 × 600	Tischlerplatte 19 mm dick
1	Arbeitsplatte	900 × 600	Spanpl. besch. 22 mm dick
4 4	Bodenträger Möbelverbinder		

Materialliste

Anz.	Bezeichnung	Maße in mm	Material
	Tresen:		
1 1	Platte Platte	1920 × 300 1320 × 300	Spanpl. besch. 22 mm dick
7	Stützen	205 × 120	Tischlerplatte 19mm dick
2	Verbindung- Doppel bolzen m. Exzenter		
	Fußsockel:		
1 5	Auflage Stützen	1800 × 150 160 × 120	Tischlerplatte 19 mm dick

1 Spüleinsatz; 63 Trapezverbinder; Holzleim; Beize; Einlaßgrund; Seidenlack.
Falls für Tresen und Arbeitsplatten keine fertig beschichteten Spanplatten verwendet werden, kommen entsprechende Resopalplatten und Umleimer hinzu.

Hier nun das erste Thekenelement im „Rohbau". Deutlich zu sehen: der Ausschnitt für das Spülbecken. Front, Seite, Böden und Arbeitsplatte wurden verschraubt. Je zwei Trapezverbinder für jede Seite wurden so plaziert, daß der untere Boden 65 mm hoch sitzt. Der mittlere Boden kann dagegen in beliebiger Höhe eingebaut werden.
Das zusammengesetzte Element stellen wir nun gegen das Podest und verschrauben es von innen mit dessen Deckplatte. Falls nötig, müssen seitlich die entsprechenden Öffnungen für die Installationsleitungen ausgeschnitten werden. Die Frontseiten der beiden Querelemente werden vor dem Zusammenbau mit je zwei Kassetten aus Profilleisten versehen. Die auf Gehrung geschnittenen Leisten mit Senkstiften und Leim befestigen.

Das zusammengeschraubte Eckelement kann nun angesetzt werden. Die einander entsprechenden Teile stoßen stumpf aneinander, müssen daher auf gleiche Höhe gesetzt worden sein. Die in der Ecke entstehenden großen Stauflächen eignen sich gut zum Aufnehmen von Bier- und Limonadekästen und sollten daher entsprechend großzügig bemessen sein. Doch vergessen Sie dabei nicht, daß im rechten Element noch der Siphon des Spülbeckens Platz finden muß.
Auf dem Foto ist gut zu erkennen, daß die Stoßkanten der beiden Elemente mit Sperrholzstreifen unterlegt sind, die man von unten mit Schrauben fixiert. Der untere Boden allerdings liegt lose auf, was jedoch der Stabilität der Gesamtkonstruktion kaum Abbruch tut.

Die Ecke steht und damit der Grundpfeiler der Bar. An dieses Stück können nun beliebig viele Elemente angehängt werden. Falls Sie das Raster ändern wollen, sollten Sie von unserer Tiefe von 60 cm nicht abweichen. Sie wird benötigt, um den Kühlschrank aufzunehmen.

Die weiteren Elemente werden mit Möbelverbindern zusammengehalten.

Der Tresen steht vorn 14 cm über und setzt sich aus zwei Einzelteilen zusammen, die stumpf aneinanderstoßen. Die Verbindung zur Thekenfront bilden drei bzw. vier geschweifte Stützen, die auf der Arbeitsplatte aufliegen und vorn durch die Front angeschraubt werden.

Zwei Verbindungsdoppelbolzen (vor bzw. hinter der Thekenfront) mit Exzentergehäuse halten den Thekenwinkel zusammen.

Der Fußsockel ruht auf fünf Stützen, die von innen durch die Front angeschraubt werden.

Altbaudiele als Hausbar

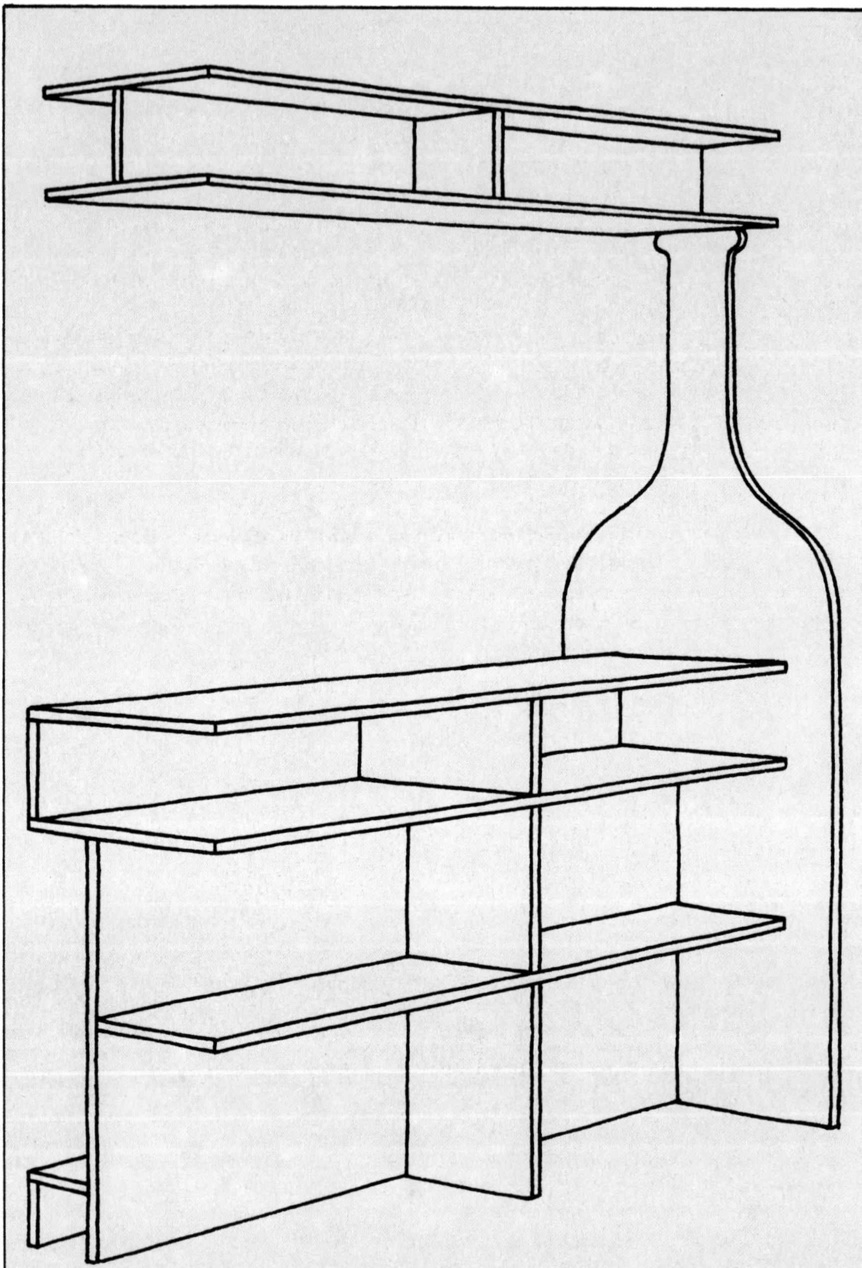

Die Theke von hinten. Die Spanplattenteile lassen Sie sich am besten fertig zuschneiden und arbeiten lediglich die geschweiften Seitenteile selbst heraus.

Haben Sie eine Altbauwohnung mit riesiger Diele? Würden Sie dort gern so eine gemütliche Ecke einrichten wie auf unserem Foto? Dann nichts wie ans Werk!

Um einen solchen Raum breiter und wohnlicher erscheinen zu lassen, wird die Decke ein gutes Stück tiefer gehängt. Dazu ein Gerüst aus Dachlatten mit speziellen Laschenankern an der alten Decke befestigen. Auf die Latten kommen Gipskartonplatten, die sich problemlos streichen oder tapezieren lassen.

Neue Textiltapeten und Teppichboden gestalten den Raum freundlich. Und nun zum Kernstück der gemütlichen Ecke, dem Bartresen. Er besteht aus preiswerter, 19 mm dicker Spanplatte. Den Seitenwangen haben wir die Form von Flaschen-Silhouetten gegeben. Die Zeichnung macht das Konstruktionsprinzip deutlich. Die Maße müssen Sie natürlich auf Ihre speziellen Raumverhältnisse abstimmen. Die Höhe der Theke soll aber auf jeden Fall 115 cm betragen, die der Trittstufe 20 cm.

Die stumpfen Verbindungen der einzelnen Spanplattenteile werden durch selbstschneidende Holzschrauben fixiert. Mit einer elektronisch geregelten Bohrmaschine wird das Eindrehen der Schrauben zum Kinderspiel.

Die Front des Bartresens erhält ebenso wie die Platte der Theke einen Belag mit 5 × 5 cm großen Fliesen. Die auf ein Netz geklebten Fliesen lassen sich mit Dispersionskleber ruck, zuck verarbeiten.

Auf den Trittsockel kommt Teppichboden. Die nicht verkleideten Flächen werden passend lackiert.

Viel Spaß bei der ersten Dielen-Bar-Party!

Die Diele ist bereits abgehängt und wirkt nun bedeutend wohnlicher. Jetzt kann der Ausbau der Hausbar beginnen.

Die Holzverbindungen erfolgen alle stumpf gegeneinander und halten durch Leimzugabe und selbstschneidende Spanplattenschrauben. Angesichts der großen Menge empfiehlt es sich, eine elektronisch geregelte Bohrmaschine zum Verschrauben zu verwenden. Platte und Front des Bartresens erhalten einen Belag aus 5×5 cm großen Fliesen. Diese auf ein Netz geklebten Fliesen lassen sich mit Dispersionskleber problemlos auf die Platten aufbringen; allerdings sollte man auf einen vorbereitenden Anstrich mit Tiefgrund nicht verzichten. Noch ein Tip: Richten Sie die Maße für Ihre Bar wo immer möglich nach den Fliesenmaßen aus, das erleichtert Ihnen die Arbeit ganz beträchtlich.

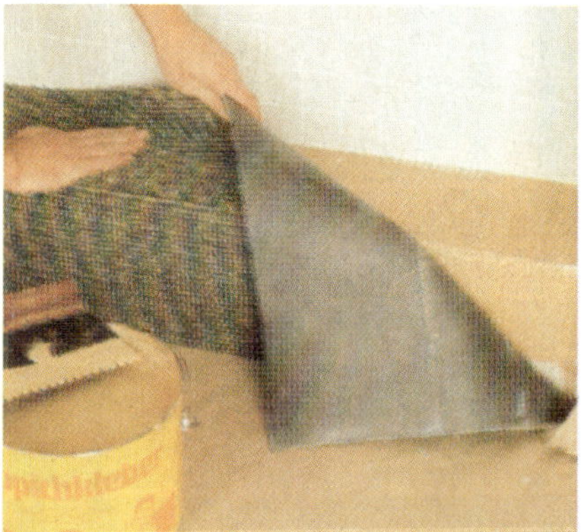

Der Trittsockel wird mit Teppichboden verkleidet. Auch hier sollte man die Platten zunächst mit Tiefgrund vorbehandeln.

Zapfen mit allen Schikanen

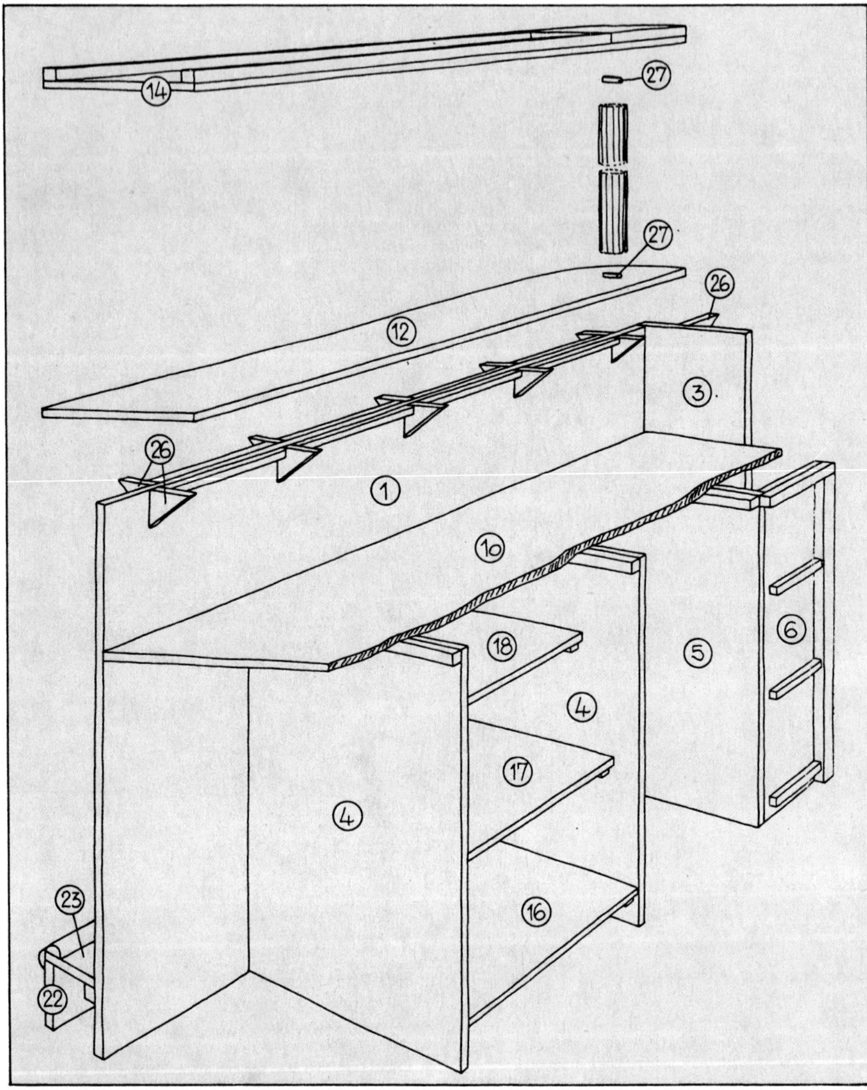

Oben die aus technischen Gründen zweigeteilte Hausbar in der Konstruktionszeichnung. Die Hängeplatte (14) wird an der Wand verankert, ansonsten ruhen (14) und (15) auf den beiden mit Halbrundleisten beklebten Pappröhren, die wiederum mit den Teilen 27 zentriert werden. Die Aufdopplungen an den gerundeten Ecken (14) und (15) sind 30 mm dicke Massivholzplatten.

Rechts die äußere Ecke, die in der Zeichnung nur angedeutet ist: So greifen die Sockelbretter mit den Scheuerleisten ineinander.

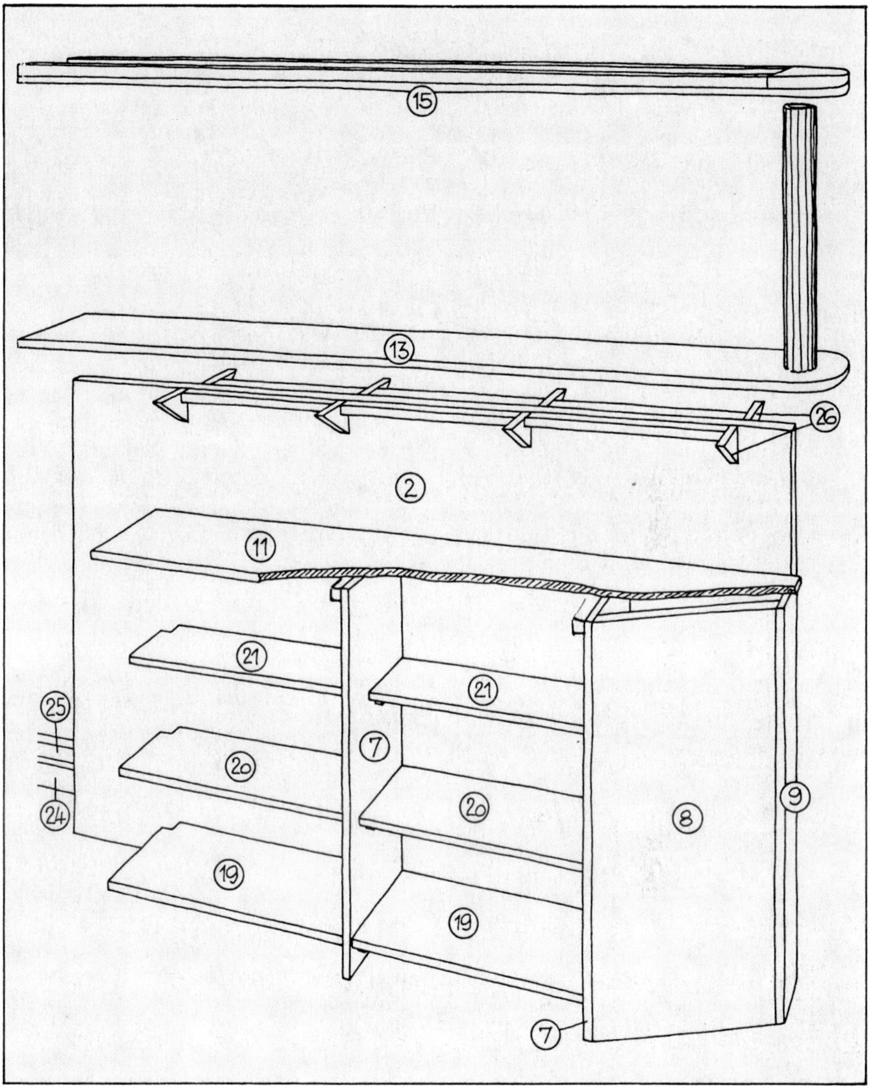

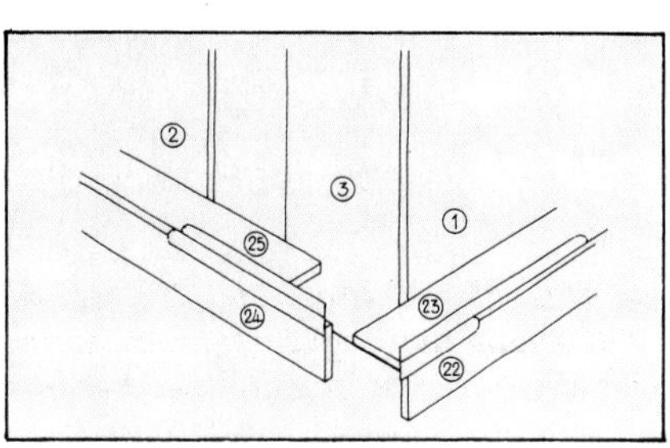

Für fröhliche Feste und besinnliche Blicke ins Glas gibt es wahrscheinlich keinen schöneren Platz als einen gemütlich ausgebauten Kellerraum mit einer Bar wie dieser – einem verblüffend einfachen Bauwerk übrigens, das dennoch für fast alle Trinkgelegenheiten perfekt ausgestattet ist: Kühlschrank und Spüle sind integriert,

ebenso die Zapfanlage und eine punktgenaue Beleuchtung. Das Baumaterial ist simple Spanplatte, allerdings veredelt und aufgewertet durch einige feine Zutaten: Arbeits- und Thekenflächen wurden mit einer Resopal-Oberfläche im Schiefer-Look beschichtet. Zur rustikalen Gestaltung der Wand-Außenseiten wählten wir im Baumarkt Isobrick-Verblender, ein Material, das sich einfach verarbeiten läßt: Kürzen kann man die Kunststoff-Riemchen mit jeder kräftigen Schere, und man verlegt sie im Dünnbett-Verfahren mit dem dazugehörenden Klebemörtel.
Zunächst gilt es aber, den Rohbau fertigzustellen. Hier sind wasserfest verleimte Bodenplatten aus mehreren Gründen von Vorteil: Sie sind nur 204 × 91,5 cm groß, man kann sie also auch allein problemlos transportieren und bearbeiten. Die Elemente lassen sich, weil sie Nut und Feder haben, leicht zu größeren Wänden verleimen.
Betrachten Sie die Lösung, die unsere Fotos und Zeichnungen dokumentieren, als Vorschlag, den Sie Ihren räumlichen Gegebenheiten individuell anpassen können. In jedem Fall muß die große Bar aber, wenn sie nicht für alle Ewigkeit auf der Baustelle bleiben soll, zerlegbar sein. Wir haben deshalb die beiden Schenkel durch von innen angeschraubte Leisten so miteinander verbunden, daß man bei Bedarf nur einige Schrauben lösen muß, um sie zu trennen. Aus demselben Grund sollten Sie auch die Arbeitsflächen und Regalböden nicht etwa mit Leim, sondern mit Schrauben fixieren.

Als Halterung für die Sockelbretter dienen Kanthölzer, die an die Stützwand-Außenseiten geschraubt werden.

An den oberen Sockel-Längskanten befestigte Halbrundleisten bilden einen fußfreundlichen Abschluß.

Materialliste

Pos.	Anz.	Bezeichnung	Maße in mm	Material
1	1	Stützwand	2000 × 1138	
2	1	Stützwand	1870 × 1138	
3	1	Stützwand	250 × 1138	
4	2	Zwischenwände	928 × 550	Verlegepl.
5	1	Zwischenwand	928 × 600	(Span)
6	1	Zwischenwand	928 × 231	19 mm dick
7	2	Zwischenwände	928 × 230	
8	1	Frontwand	928 × 300*)	
9	1	Seitenstreifen	928 × 110*)	
10	1	Arbeitsplatte	2000 × 600	Verlegepl. (Span)
11	1	Arbeitsplatte	1520 × 250	22 mm dick
12	1	Thekenplatte	2272 × 280	
13	1	Thekenplatte	2080 × 280	
14	1	Hängeplatte	2272 × 280	
15	1	Hängeplatte	2080 × 280	
16	1	Einlegeboden	780 × 550	
17	1	Einlegeboden	780 × 500	
18	1	Einlegeboden	780 × 450	Verlegepl.
19	2	Einlegeböden	610 × 220	(Span)
20	2	Einlegeböden	610 × 185	19 mm dick
21	2	Einlegeböden	610 × 150	
22	1	Sockelbrett	2131 × 120	
23	1	Sockelbrett	2150 × 140	
24	1	Sockelbrett	2260 × 120	
25	1	Sockelbrett	2120 × 140	
26	19	Konsolendreiecke	100 × 100	
27	4	Zentrierplatten	nach Pappröhren-∅	

ca. 10 lfd. m Halbrundleisten 32 × 16 mm (Scheuerleisten Sockel); 2 Pappröhren, 900 lang; Halbrundleisten 16 × 8 mm , 900 lang (Säulenverkleidung, Anzahl richtet sich nach Pappröhren-∅); 4 Niedervolt-Halogenlampen, 12 V, 20 W mit Trafo; ca. 6 m² Isobrick-Kunststoffriemchen mit Eckteilen und Kleber; ca. 27 lfd. m Vierkantleisten 30 × 30 mm (für lösbare Verbindungen Sockel, Arbeitsplatten, Thekenplatte, Aufdopplungen Hängeplatten und Bar-Schenkel); ca. 15 lfd. m Vierkantleisten 20 × 20 mm (Auflagen für Einlegeböden); ca. 6 m² Resopal Nr. 3290 (Schiefer); Spanplatten-Schrauben; Zweikomponentenkleber; Holzleim.
*) ca.-Maße.

Die Einlegeböden liegen lose auf Vierkantleisten. Die Arbeitsplatten werden von unten durch Leisten verschraubt zur einfacheren Demontage. Der Thekenflügel rechts nimmt Spülbecken und Zapfanlage auf. Die angeschraubten Leisten (rechts) stellen die Verbindung zum anderen Teil her. Auch gut zu sehen: die dreieckigen Konsolen, die den Tresen halten. Abstand: 40 cm.

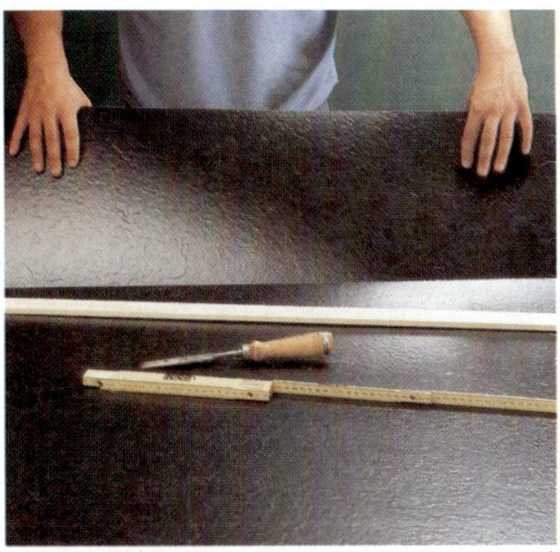

Die Platten werden mit Resopal beschichtet, das man mit Hilfe eines scharfen Werkzeugs (Stechbeitel) einritzt und an dieser Sollbruchstelle leicht und präzise abknicken kann.

Den Kleber trägt man mit einem Zahnspachtel dünn auf die Platte auf (Angaben des Herstellers beachten) und preßt dann das Resopal von der Mitte ausgehend zu den Rändern mit einer Gummiwalze auf das Spanholz.

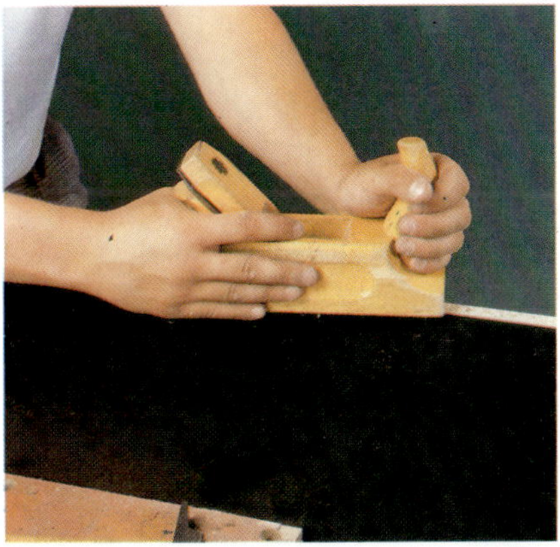

Das Hobelmesser muß perfekt geschliffen sein, wenn Sie die Kante äußerst vorsichtig nacharbeiten, um ihr so die Schärfe zu nehmen.

Auch auf die Kante jetzt dünn, aber vollflächig den Kleber aufbringen. Vor allem der Randstreifen muß millimetergenau passen.

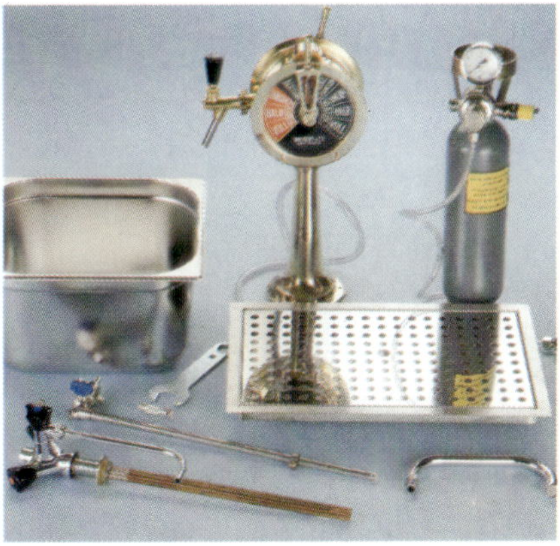

Und hier die Profi-Ausrüstung für die Zapfanlage. Spülbecken und Abtropfschale werden in die Arbeitsplatte der Bar eingelassen.

Ein Blick hinter die Bar-Kulisse: So sieht die komplette Anlage bei geöffneter Kühlschranktür aus.

Der letzte Schliff für die Außenhaut der Bar, das Verblenden mit Isobrick-Kunststoffriemchen. Die Fläche wird zunächst in 25 cm hohe Streifen eingeteilt, die mit Hilfe einer Wasserwaage zu verlängern sind.

An einer Ecke beginnend, ziehen Sie den Klebemörtel mit dem Zahnspachtel auf.

Zunächst setzt man die Ecksteine übereinander, schiebt dann die Verblender . . .

. . . Stück für Stück in das Kleberbett ein und drückt sie vollflächig mit der Hand an. Die Furchen lassen sich leicht mit einem Flachpinsel glattstreichen.

Nach Wunsch: Tisch oder Regal

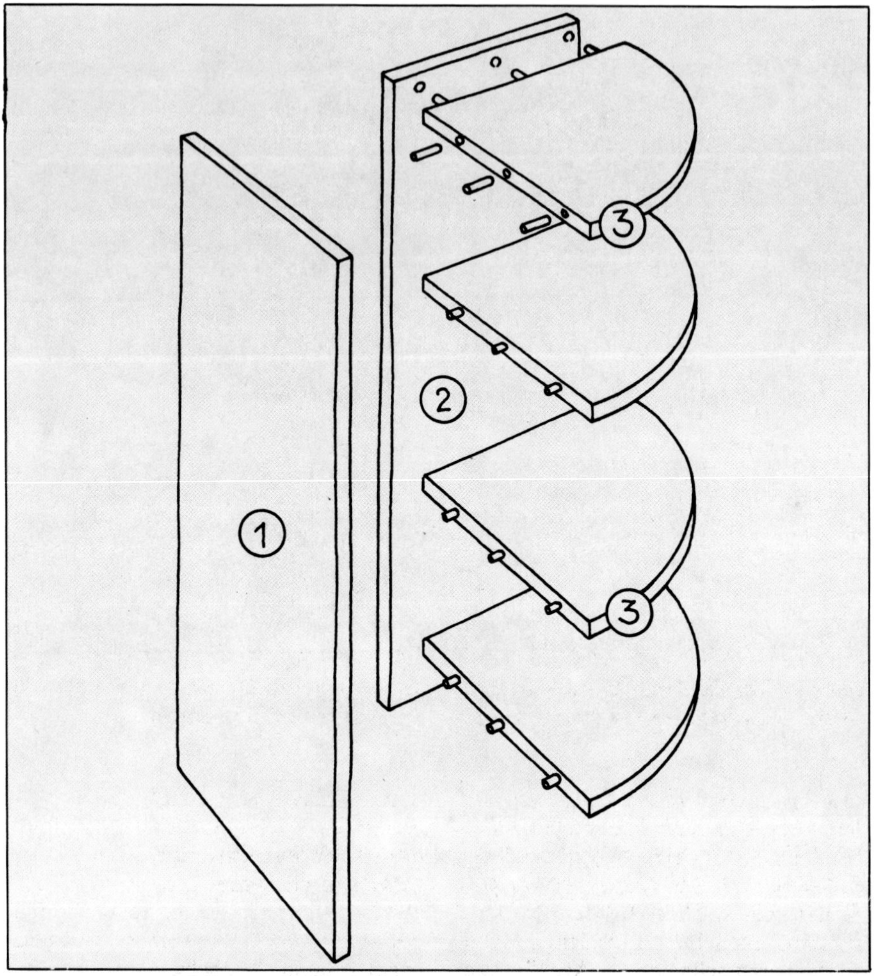

Die viertelrunden Elemente lassen sich ganz unterschiedlich einsetzen: als Wandregal ebenso wie – vier davon zusammengeschraubt - als Untergestell für einen runden Tisch. Die Materialliste enthält alle „Zutaten" für ein Element. Das „Rezept" für den Zusammenbau finden Sie auf den folgenden Seiten.

Was Mathematiker schon immer behauptet haben, bestätigt sich hier in der Praxis: Vier rechtwinklige Kreissektoren werden leicht zu einer runden Sache. Deshalb kommt ein Hängeregal wie im Foto rechts oben – an sich schon ein recht nützliches Ding – selten allein. Wer nämlich dessen wahre Qualitäten ganz ausschöpfen möchte, der wird sich nicht mit einem einzigen Exemplar zufriedengeben. Wie vielfältig die Kombinationsmöglichkeiten sind, werden Sie sehen, wenn Sie Ihre vier Elemente selbst zusammenstellen:

Hier eine Verwendungmöglichkeit: Das stabile Wandregal ist schnell fertig, leicht angebracht, sieht gut aus und kann allerhand aufnehmen.

Man kann sie einzeln als Eckregal, zu zweien im Halbkreis an der Wand oder als Dreier-Set um einen Vorsprung herum aufbauen. Pro Element brauchen Sie nur drei Leimholzbretter; die vier Böden können Sie aus einem großen Stück herausschneiden. Achten Sie beim Zuschneiden darauf, daß jeweils eines der beiden Seitenteile schmaler ausfallen muß, damit sich beim Zusammenbau das richtige Innenmaß ergibt. Wenn man die Böden vor dem Bohren numeriert, lassen sie sich später ganz exakt zusammendübeln.

Materialliste

Pos.	Anz.	Bezeichnung	Maße in mm	Material
1	1	Seitenwand	800 × 300	Leimholz
2	1	Seitenwand	800 × 280	19/20 mm
3	4	Böden	275 × 275	dick

24 Holzdübel ∅ 8 × 40; Holzleim.

Mit der Stichsäge die Böden ausschneiden (Radius 27,5 cm) und die . . .

. . . runden Kanten sauber schleifen. Man kann sie dabei mit einer leichten Fase versehen.

Mit der Dübelhilfe in jede Seite drei Löcher bohren (8 mm).

Die Dübel einsetzen und die erste Seite verleimen. Sobald der Leim abgebunden hat, kommt die zweite Seite dran.

Bar und Raumteiler zugleich

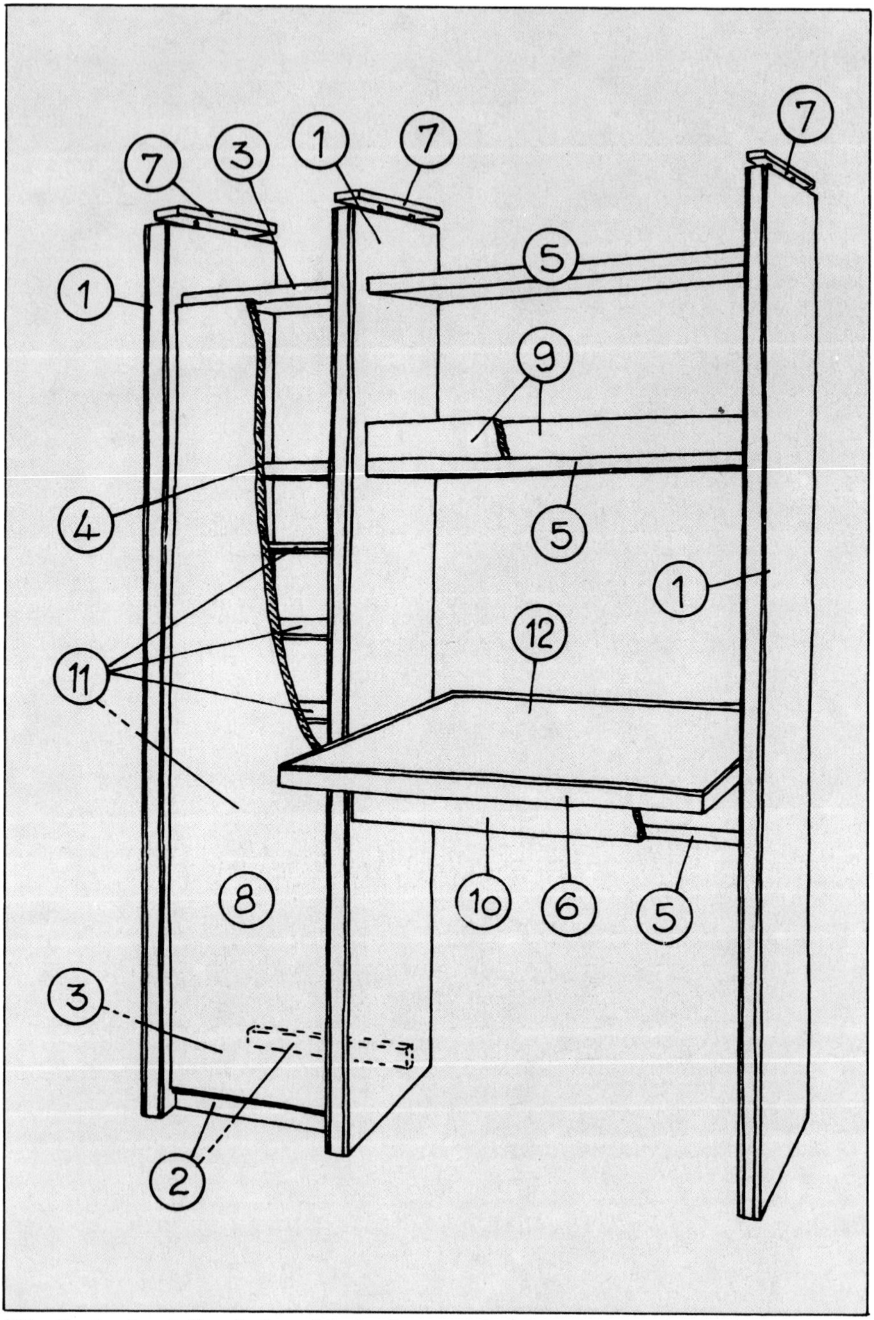

Die Systembauteile sind variabel, der Raumteiler paßt sich also an. Ihre Tätigkeit beschränkt sich weitgehend auf die Montage.

Eine pfiffige Idee, noch dazu schön und praktisch: der Raumteiler, der als Bar Verwendung findet – oder umgekehrt. Das alles aus wertvollem Mahagoni und außerdem selbst gebaut. Nun, so ganz nicht, denn tatsächlich handelt es sich bei diesem „Möbel" um einen Bausatz der Firma Parador. Die Teile werden also bis hin zur Oberflächenbehandlung komplett geliefert (natürlich sind auch die erforderlichen Beschläge mit dabei) und dann von Bauherr/Baudame den jeweiligen individuellen Gegebenheiten angepaßt. Und das funktioniert so: Die senkrechten Teile, die Regalstollen, werden mit Halteleisten an Boden, Wand und Decke befestigt. Zwischen die Regalstollen setzt man als oberen und unteren Zusammenhalt Konstruktionsböden ein, die durch speziell dafür entwikkelte Beschläge befestigt werden. Dieselben Konstruktionsböden kommen auch über und unter Türen und Schubkästen zum Tragen. Auf diese Weise sind die Teile zwar fest verbunden, können aber bei Bedarf – etwa beim Umzug – problemlos wieder gelöst werden.

Materialliste

Pos.	Anz.	Bezeichnung	Maße in mm	Material
1	3	Regalstollen	2570 × 333	RST 257 × 33,3
2	2	Sockelblenden	495 lang	SBL 49,5
3	2	Konstruktionsböden	495 × 286	KBT 49,5 × 28,6
4	1	Fachboden	495 × 271	FBT 49,5 × 27,1
5	3	Konstruktionsböden	995 × 286	RST 99,5 × 28,6
6	1	Abdeckplatte	995 × 540	ADPT 99,5 × 54,0
7	3	Deckenspanner	333 × 40	DS 3 33,3
8	1	Rückwand/Blende	2233 × 495	STB R 14
9	2	Blenden	995 × 85	SBL 99,5
10	1	Blende	995 × 165	FBT 99,5 × 28,6*
11	7	Glasböden	495 × 267	BLD 49,5 × 26,7
12	1	Glasboden	995 × 534	BLD 99,5 × 53,4

Wir verwendeten die Parador-Holzart Mahagoni englisch gebeizt. In der Rubrik Material sind die Parador-Bestellnummern angegeben.
* Durch Zuschnitt entstehen Pos. 10 und 1 Teil für Pos. 9.

Nachdem die Regalstollen auf Raumhöhe minus 30 mm abgesägt und die Konstruktionsbeschläge angebracht worden sind, folgt das Einsetzen der Schrauben für die Deckenspanner, mit denen die Regalstollen zwischen Decke und Fußboden „geklemmt“ werden.

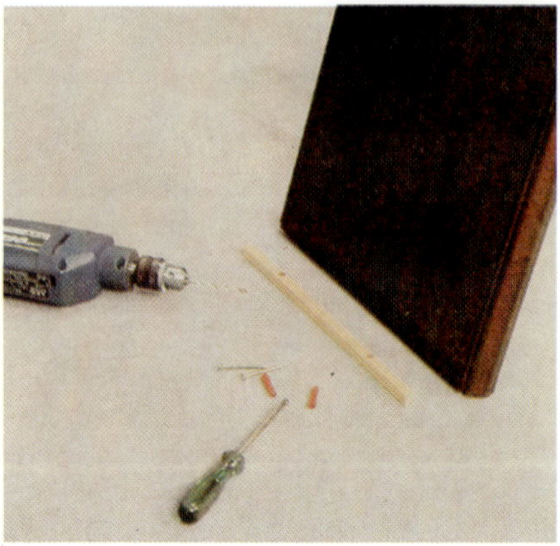

Sicher wird die Angelegenheit natürlich nur, wenn die Regalstollen auch auf dem Boden unverrückbar befestigt sind. Das geschieht mit einer Leiste, die auf den Boden gedübelt wird. Steht der Stollen, wird der Deckenspanner mit der Schraube hochgedrückt, und der Raumteiler hält.

Butler Henry hat es in sich

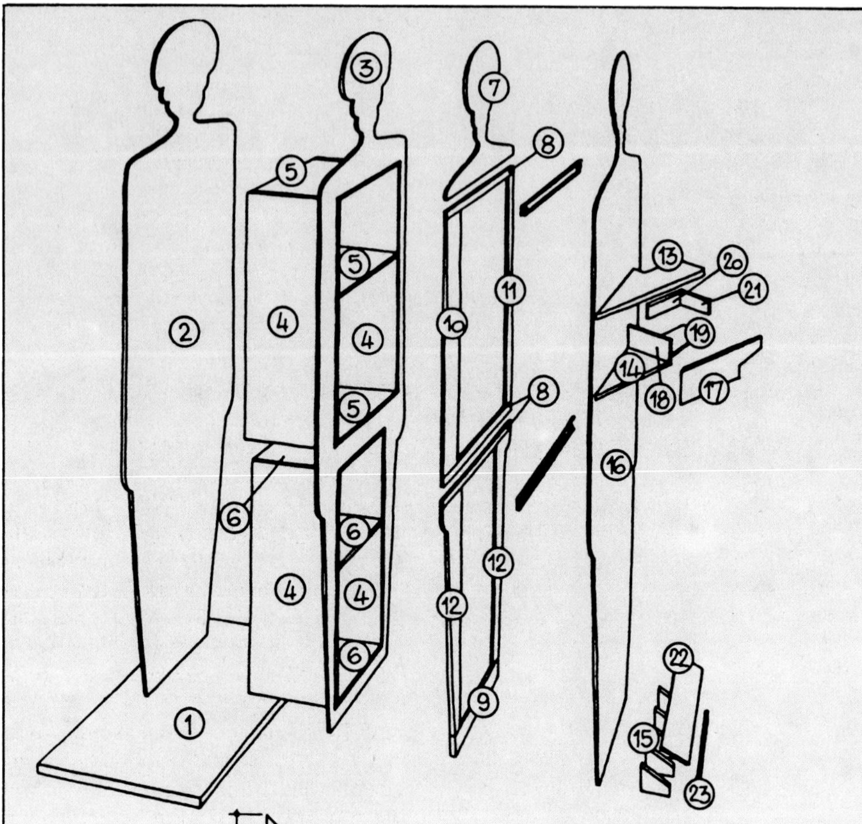

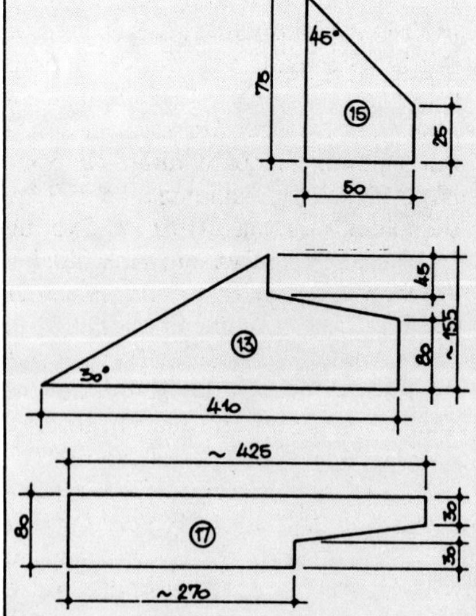

Die Explosionszeichnung oben zeigt den Aufbau des Butlers. Die Regalböden können Sie fest einbauen oder später mit Bodenträgern befestigen. Dann sollten Sie allerdings schon jetzt, das heißt vor dem Zusammenbau, die Teile (4) mit Lochreihen versehen.

Links: Hier finden Sie die exakten Maße für die Rippen (15) des Fußteils sowie die der Handteile (13) und (17)

Die Maßzeichnung rechts zeigt Ihnen die Ausschnitte in der Zwischenfront (3) (gestrichelte Linien), das genaue Verleimschema der Positionen (7) bis (12) sowie die Außenkontur zum Ausschneiden der drei Platten und alle Innenkonturen zur späteren Bemalung.

Diesen Butler sollten Sie sich leisten! Mit gut 175 cm Größe, untadeliger Kleidung und einer gewissen, jedoch würdevollen Steifheit vom Scheitel bis zur Sohle ist der Butler Henry wirklich ein idealer Mitbewohner. Und er wird sich bei Ihnen sehr wohl fühlen – hat er doch nichts weiter zu tun, als sich fachgerecht um die Verwahrung der flüssigen Spezialitäten sowie des Zubehörs zu kümmern. Ein wahrer Bombenjob für ihn also und eine tolle Sache für Sie.

Die Maßzeichnung zeigt Ihnen die Kontur des Butlers genau, ebenso die Ausschnitte in der Zwischenplatte (3) und das Verleimschema der Teile (7) bis (12) auf dieser Platte. Bei der Montage der hier genannten Teile, die die Front des Butlers ergeben, ist ganz präzises Arbeiten erforderlich.

Und mit dieser kniffligen Arbeit beginnen Sie auch: Auf der Zwischenplatte (3) die Ausschnitte laut Maßzeichnung (gestrichelte Linien) anzeichnen und aussägen. Dann die bis jetzt noch konturlosen Zuschnitte (7) bis (12) so auf die Zwischenplatte leimen, daß auf der Vorderseite die zwei Nuten für die Befestigung der Auszüge entstehen und die Ausschnitte von der Rückseite aus gesehen jetzt je einen umlaufenden 10-mm-Falz haben.

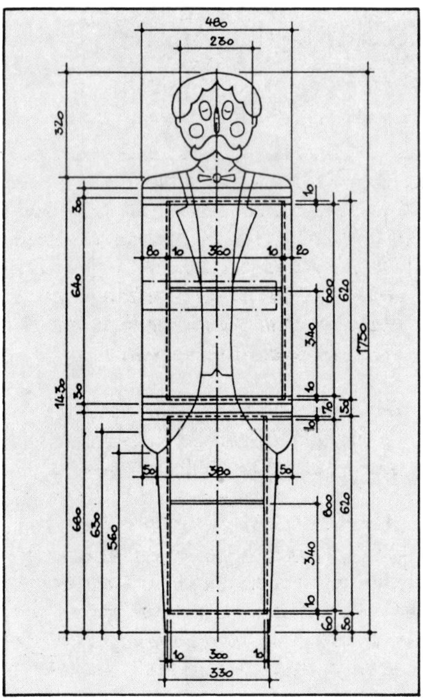

Diese „aufgedoppelte" Platte, die Rückwand (2) und die Türplatte (16) nun aufeinanderspannen, die Außenkontur des Butlers anreißen und die Platten in nur einem Arbeitsgang zusägen. Wer nicht direkt auf die Platte zeichnen mag, kann sich vorher eine Papierschablone fertigen. Gut geeignet ist z. B. ein Tapetenrest, den Sie der Einfachheit halber längs falten und auf den Sie eine Hälfte der Kontur aufzeichnen. Wenn Sie die Schablone nun ausschneiden, ist sie garantiert symmetrisch.

Die Regalkästen – Pos. (4) und (5) sowie (4) und (6) – verleimt man erst miteinander, dann in den Falzen der Zwischenwand; die Einlegeböden (5) und (6) setzt man später auf Bodenträger. Die Rückwand leimen Sie auf und verschrauben sie noch mit den Fachkästen. Die geraden Seitenflächen schließt man mit 5 mm dicken Zuschnitten aus Sperrholz. Für die Beplankung an den Bögen schneidet man das Holz in 5x5 und 5x10 mm große Leisten. Anschließend die Nahtstellen spachteln, trocknen lassen und dann gründlich schleifen.

Die beiden Teleskopauszüge verschraubt man nun in den Nuten der Front. Markieren Sie jetzt auch gleich an der Tür die Befestigungspunkte für die Teleskopauszüge.

Frisur und Bart aus Sperrholz zuschneiden und auf den Kopf der Türplatte leimen. Die Nase schneidet man aus einem Stück Restholz und schleift die

Spitze schön rund. Die Armteile (13) und (17) sowie die Rippen des Fußteils laut Maßskizze fertigen. Die übrigen Handteile bei der Montage anpassen, die mit den Pos. (14), (17) und (18) beginnt. Den fertigen Arm von hinten mit der Türplatte verschrauben. Bevor Sie die fertige Fußleiste anbringen, kürzen Sie die Tür unten um 10 mm, damit sie später ohne zu schleifen über den Boden gleiten kann.

Anschließend grundieren und lackieren Sie den Butler. Auf der Tür mit Bleistift alle Innenkonturen der Vorlage skizzieren. Einen zweiten Farbton erst auftragen, wenn der erste völlig trocken ist. Bei geraden Begrenzungen können Sie mit Kreppband abkleben, sonst eventuell mit Pappschablonen arbeiten.

Die 19 mm dicke Bodenplatte (1) gewährleistet die nötige Standfestigkeit Ihres neuen Mitbewohners. Bevor Sie die Platte lackieren, müssen die Schnittkanten mit Umleimer versehen werden. Über vorgebohrte Löcher in der Spanplatte verschraubt man die Rückwand (2) und die Zwischenwand (3) des Butlers mit dem Boden.

Materialliste

Pos.	Anz.	Bezeichnung	Maße in mm	Material
1	1	Bodenplatte	850 × 350	Spanplatte 19 mm dick
2	1	Rückwand	1750 × 480	Spanplatte 10 mm dick
3	1	Zwischenplatte	1750 × 480	
4	4	Seitenwände	620 × 200	
5	3	Böden	300 × 200	
6	3	Böden	360 × 200	
7	1	Kopfteil	370 × 480	
8	3	Querleisten	480 × 20	
9	1	Fußbrett	345 × 60	
10	1	Seitenbrett	600 × 80	
11	1	Seitenleiste	600 × 20	
12	2	Seitenteile	600 × 100	
13	1	Deckplatte	410 × 155	
14	1	Unterplatte	260 × 155*)	
15	5	Rippen	75 × 50	
16	1	Türplatte	1750 × 480	Sperrholz 10 mm dick
17	1	Frontplatte	425 × 80	Sperrholz 5 mm dick
18	1	Handteil	160 × 80*)	
19	1	Handteil	160 × 110*)	
20	1	Handteil	160 × 50*)	
21	1	Handteil	90 × 30*)	
22	1	Fußabdeckung	270 × 80	
23	1	Frontblende	270 × 30	

3 × Sperrholz, 5 mm dick, 1750 × 220 mm; 2 Teleskopauszüge, 300 mm lang; Spanplatten-Schrauben; Holzleim.

*) Beim Zusammenbau an Teile 13 und 17 anpassen.

Die Zuschnitte (2) bis (7) exakt auf die mit Ausschnitten versehene Platte (2) leimen und bis zum Abbinden des Leims mit Schraubzwingen fixieren.

Die so entstandene Front, die Türplatte und die Rückwand aufeinanderspannen, die Außenkonturen aufzeichnen und mit der Stichsäge aussägen.

Hier liegen die ausgesägten Platten in der Reihenfolge, in der sie später auch montiert werden: unten die Rückwand, darauf die aufgedoppelte Front und die Sperrholz-Tür. Der nächste Arbeitsgang: Die beiden Regalkästen werden in die umlaufenden Falze in der Rückseite der Frontwand geleimt.

Die Seitenflächen schließen Sie mit 5 mm dickem Sperrholz: an den geraden Stellen mit Rechtecken, in den Bögen mit verschieden breit zugeschnittenen Leisten.

Die „Rundungen" spachtelt man dann sorgfältig und schleift nach dem Trocknen, bis die Fläche glatt ist. Danach werden die Bauteile des Arms angepaßt, miteinander verleimt und von hinten mit der Front verschraubt.

Die Teleskopauszüge verschraubt man nun fest in den beiden Nuten über den Ausschnitten in der Front. Damit die Tür gut läuft, muß man die Befestigungspunkte der beiden Auszüge sehr genau markieren.

Von Armagnac bis Zitronenlikör

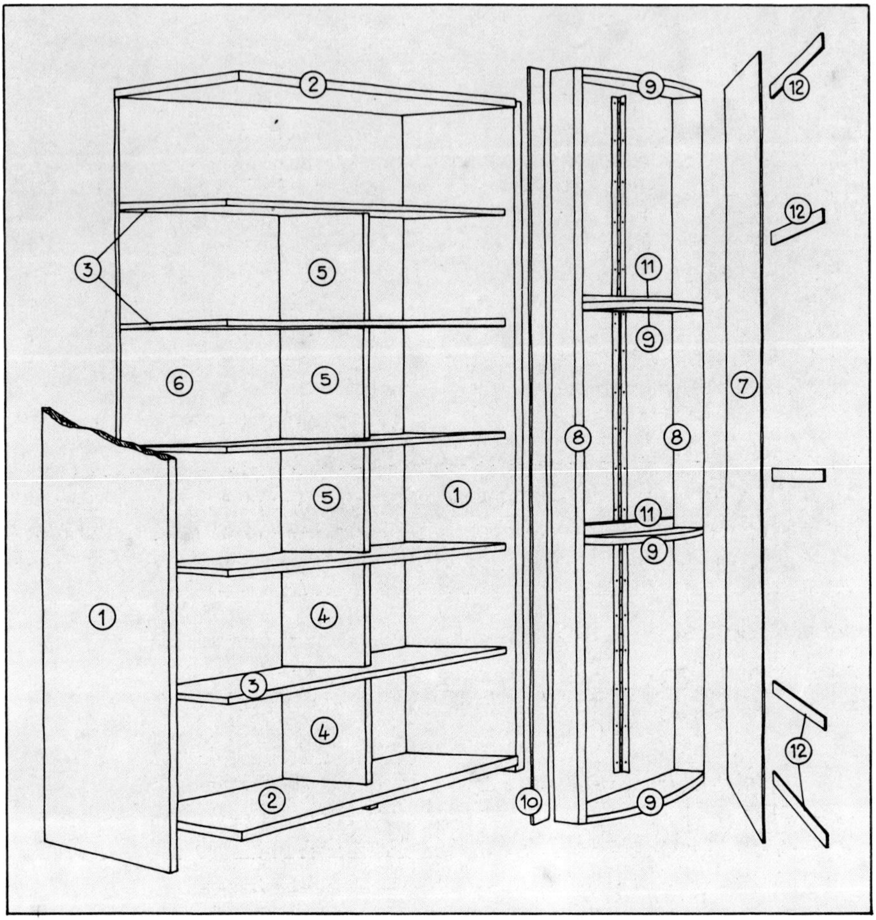

Das Überlexikon kann natürlich überall stehen und tatsächlich Bücher enthalten. Es eignet sich aber ebensogut als Barmöbel und nimmt dann Hochprozentiges, eine Spielesammlung oder unerläßliches Barzubehör auf. Das Bauen dieses Möbels fordert Ihnen kein enzyklopädisches Wissen ab, denn dieses Nachschlagewerk ist deutlich leichter zu erstellen, als der attraktive Einband vermuten läßt.

Beginnen Sie mit dem Schrank-Korpus. Er entsteht aus Spanplatten, die stumpf miteinander verleimt und verschraubt werden. Damit für eine glatte Oberfläche gesorgt ist, sollten Sie die Schrauben versenken und die Löcher verspachteln. Bei der Größe der Seitenteile wurde bereits Platz fürs Klavierband gelassen, mit dem die Türen befestigt werden.

Die Querstreben der Schranktüren (9) sägen Sie mit einem Radius von 51,5 cm zu. Schrägen Sie die senkrechten Teile des Rahmens (8) entsprechend ab. Am einfachsten läßt sich diese Arbeit auf der Kreissäge ausführen. Wie beim Korpus werden die Einzelstücke danach verleimt und verschraubt. Dabei bohren Sie die Schraublöcher am besten vor; so splittert das Holz nicht. Die als Türverkleidung dienenden Hartfaserplatten werden den Rahmen angepaßt. Dazu die Rahmen an den Verbindungsstellen mit Holzleim einstreichen und die Hartfaserplatten auflegen. Sie werden am höchsten Punkt der Wölbung oben und unten je einmal festgetackert. Anschließend biegt man die Platten, und ein Helfer fixiert sie mit dem Tacker. Da auch die Klammern versenkt und verschliffen werden sollten, drückt man sie mit dem Schraubenzieher ins Holz. Alle Überstände werden abgehobelt und dann sauber geschliffen.

Die waagerechten Zierleisten kleben Sie mit Holzleim auf die Schranktüren und tackern sie an beiden Enden fest. Mit Schraubzwingen werden die Leisten so lange fixiert, bis der Leim völlig trocken ist. Danach die Überstände absägen und Leisten schleifen.

An der linken Tür wird innen am Mittelstoß eine Schlagleiste angebracht. Dann können Sie auch die Abdeckleisten an den Innenflächen der Türen befestigen. Beide Türen werden mit Klavierbändern angeschlagen. Nun fehlen nur noch die Einlegeböden. Sie erhalten in der Mitte jeweils senkrechte Stützen, die angeleimt und angeschraubt werden.

Zum Schluß grundieren Sie den Schrank und streichen ihn zweimal mit Acryllack in der gewünschten Farbe. Mit Hilfe einer Schablone werden später die Buchstaben aufgesprüht; Magnetschnäpper halten „Rücken“ und „Bauch“ zusammen.

Materialliste

Pos.	Anz.	Bezeichnung	Maße in mm	Material
1 2	2 2	Seitenteile Böden	1820 × 347 987 × 350	Spanpl. 19 mm dick
3 4 5	5 2 3	Einlegeböden Bodenstützen Bodenstützen	987 × 300 350 × 250 245 × 250	Spanpl. 16 mm dick
6	1	Rückwand	1762 × 987	Spanpl. 10 mm dick
7	2	Buchrücken	1820 × 530	Hartfaser 3,2 mm
8	4	Rahmenleisten	1800 lang	Fichte 60 × 20 mm
9	4	Türwölbungen	460 × 120	Tischlerpl. 19 mm dick
10 11	1 4	Anschlagleiste Abdeckleisten	1785 lang 460 lang	Fichte 60 × 10 mm
12	10	Zierleisten	540 lang	Sperrholz 30 × 4 mm

2 Klavierbänder 1,80 m lang; 4 Magnetschnäpper; Schnellbauschrauben; Tackerklammern; Holzleim.

Den Korpus aus den vier Seitenteilen und der Rückwand zusammenbauen (leimen und schrauben). Danach werden die gerundeten Türverstrebungen mit der Stichsäge ausgeschnitten und die Rahmen für die Türen verleimt.

Dann brauchen Sie Hilfe, denn die Hartfaserplatten sollte man zu zweit über die Rundung des Rahmens biegen.

Während einer die Platte auf den Rahmen hält, befestigt sie der andere sorgfältig mit dem Elektrotacker.

Die Schranktüren werden mit Klavierbändern am Korpus angeschlagen. Dann kommt das Grundieren mit Acryllack, und zum Schluß sprüht man mit Hilfe von Schablonen die Buchstaben auf.

Vielseitiger Servierwagen

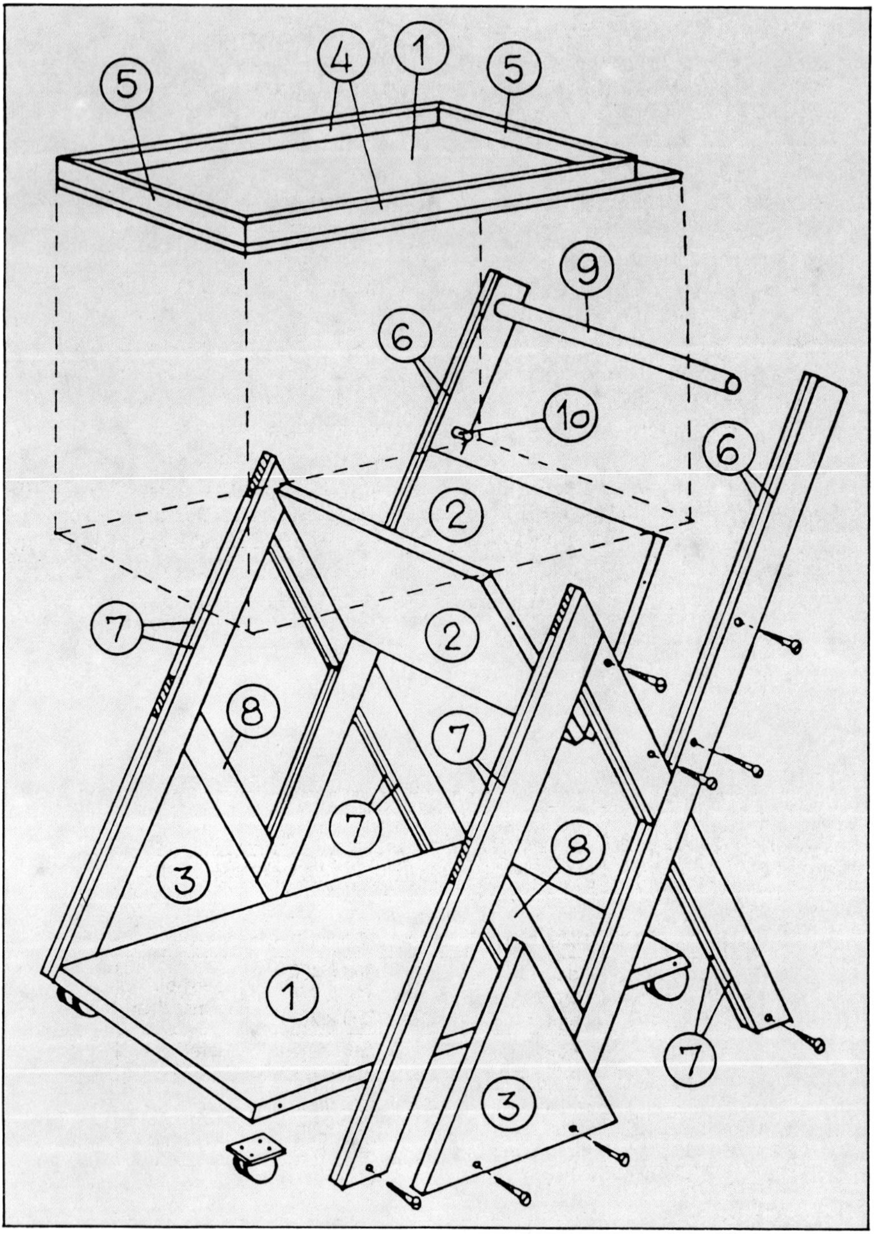

Hier sehen Sie ganz genau, aus welchen Teilen sich der Servierwagen zusammensetzt. Das Tablett aus 15 mm dikkem Sperrholz ist abnehmbar und wird mit Hilfe von zwei Fixierstiften arretiert. Sämtliche Stützstreben sind zweilagig verleimt und geschraubt. Dadurch erhält der Servierboy auf denkbar einfache Weise die notwendige Stabilität und gerät nie ins Wanken.

Extravagant im Design, praktisch im Gebrauch, bequem in der Handhabung, äußerst preiswert in der Anschaffung – und nicht nur das. Unser Rollwagen hat ein integriertes Regal für Getränke, Knabbereien und dergleichen sowie ein abnehmbares Tablett. Da ist die Tatsache, daß man nicht, wie oft üblich, gebückte Haltung annehmen muß, will man den Servierwagen zum Ort des Geschehens bugsieren, nur noch ein zusätzliches Argument. Kurzum, der Servierboy ist eine lohnenswerte Investition. Natürlich kommt das edle Stück am besten in einer modern eingerichteten Wohnung zur Geltung, doch kann es – in der entsprechenden Farbgebung – durchaus auch in traditioneller Umgebung bestehen. Schön an diesem Modell ist, daß es bei ausreichender Abstellfläche leicht und zierlich wirkt und so auch in kleinen Appartements oder auf Mini-Balkons denkbar ist. Verwendungsmöglichkeiten gibt es jedenfalls reichlich: Als Servier- und Beistellwagen bei Tisch, als kleine Aperitif-Bar, als Utensil für die Schönheitspflege oder Handarbeiten, aber auch, reich bestückt, als Blumen- oder Kräuterinsel.

Am besten fertigen Sie sich anhand von Zeichnung und Materialliste eine originalgroße Schablone an und gehen dann ganz systematisch nach unseren Abbildungen vor. Gefällt Ihnen der asymmetrische Touch des Servierboys nicht, lassen Sie einfach die beiden blauen Dreiecke weg – der Wagen bleibt trotzdem stabil. Zum Schluß werden alle Teile grundiert und zweimal mit umweltfreundlichem Acryllack gestrichen. Wichtig: sauber zwischenschleifen!

Materialliste

Pos.	Anz.	Bezeichnung	Maße in mm	Material
1 2 3	2 2 2	Böden Schrägen Dreiecke	700 × 400 400 × 270 300 × 280	Sperrholz 15 mm dick
4 5	2 2	Randleisten Randleisten	670 lang 400 lang	Kiefer 21 × 15 mm
6 7 8	4 8 4	Griffstreben Stützstreben Stützstreben	870 lang 700 lang 400 lang	Kiefer 44 × 8 mm
9	1	Griff	416 lang	Buche ∅ 22 mm
10	2	Fixierstifte	20 lang	Buche ∅ 12 mm

4 Möbelrollen; 2 Griffe; Spanplatten-Schrauben 4,0 × 30 mm; Nägel; Holzleim.

Zuerst entstehen die Seitenteile. Übertragen Sie die Konturen in Originalgröße auf Sperrholz. Der Winkel beträgt 60°.

Die Stützstreben werden zweilagig verleimt/geschraubt. Unterlegen Sie die Verbindungsstellen mit Papier, damit sie sich nach dem Abbinden des Leims von der Unterlage lösen lassen.

Das Tablett entsteht aus Sperrholzboden und Randleisten. Wichtig ist, daß Sie den Boden 30 mm über die eigentliche Tablettlänge herausragen lassen, damit dieses Stück unter die Fixierstifte (10) geschoben werden kann.

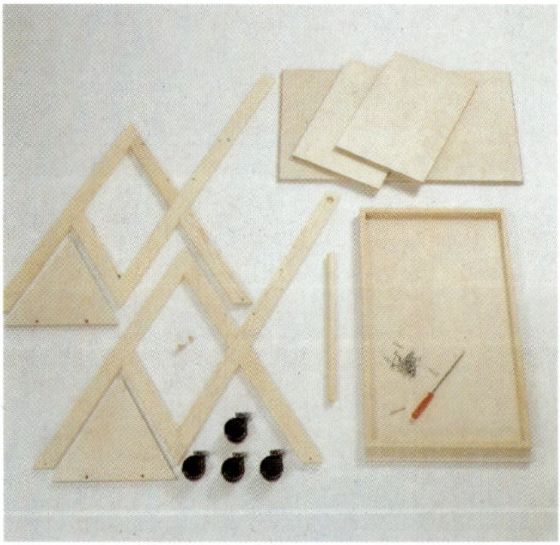

Die vorgefertigten Einzelteile mit Holzleim und Spanplatten-Schrauben verbinden. Am besten beginnen Sie mit den Seiten und dem Boden. Die Schrägen aus Sperrholz dienen der Versteifung und als praktische Ablage. Zum Schluß werden Griffe und Möbelrollen montiert.

Schach, nicht nur dem Durst

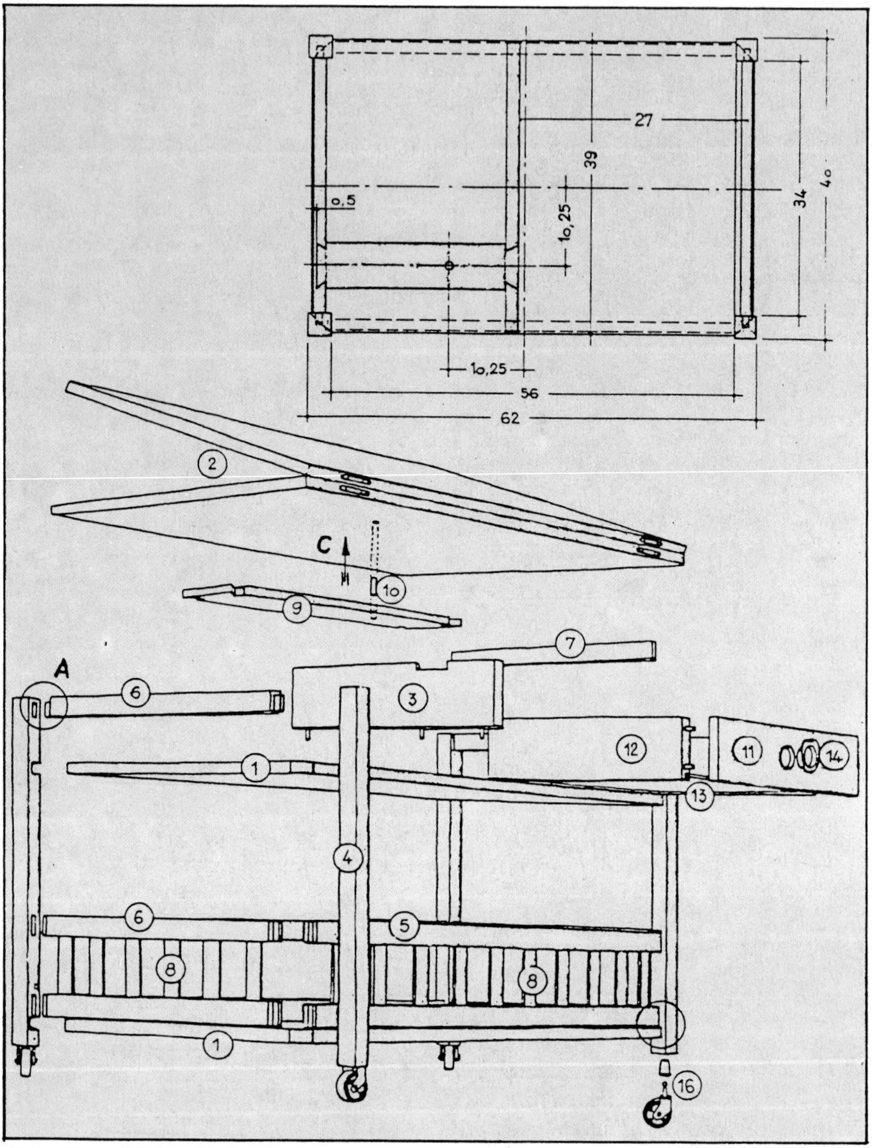

Die Draufsicht (bei abgenommenen Tischplatten) zeigt u. a. die Zarge (9), die das Drehlager der aufklappbaren Tischplatte aufnimmt. Eine Schwalbenschwanzverbindung sorgt für die nötige Stabilität.
Die Explosionszeichnung darunter macht deutlich: Die Schublade wird verdübelt. Sie läuft leichter, wenn man auf den darunterliegenden Boden (1) zwei Furnierstreifen leimt, auf denen die Seiten (12) gleiten. Die Zarge (6) neben der Schublade muß mit einer 8 mm dicken Leiste aufgefüttert werden, um den Überstand der Stollen auszugleichen.

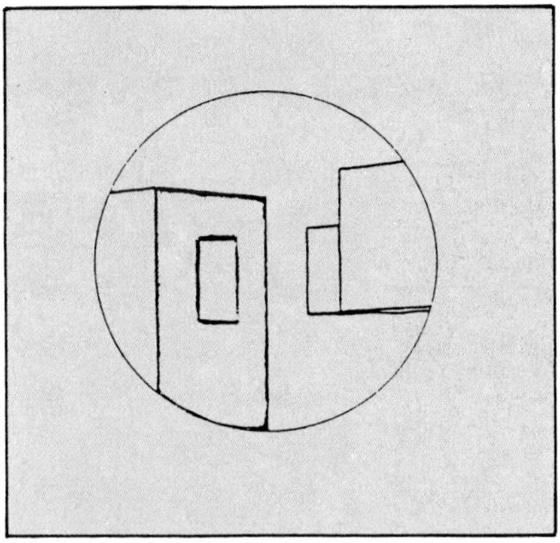

Hier das Detail A, die Zapfenverbindung zwischen Stollen (4) und Zarge (6). Faustregel für Schlitze und Zapfen: 3x⅓. Der Zapfen ist also ein Drittel der Holzbreite stark, und beim entsprechenden Schlitz bleiben zweimal ein Drittel stehen.

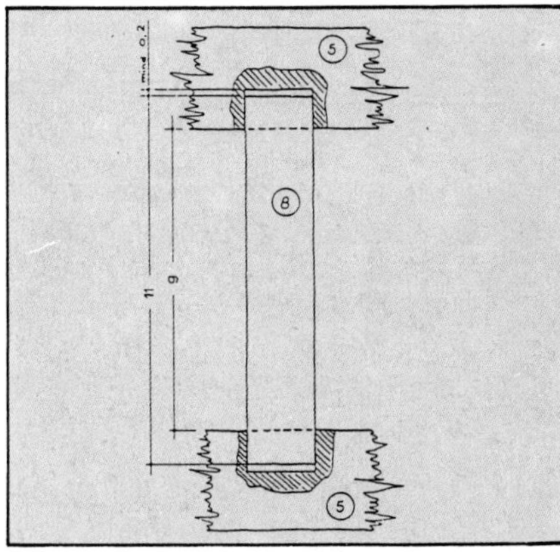

Schnitt durch die Verbindung Sprossen (8) und Zargen (5): Die Sprossen werden auf jeder Seite 1 cm tief in die Zargen eingelassen; der entsprechende Schlitz sollte aber jeweils 2 mm tiefer ausgestemmt werden, um überschüssigem Leim Platz zu lassen.

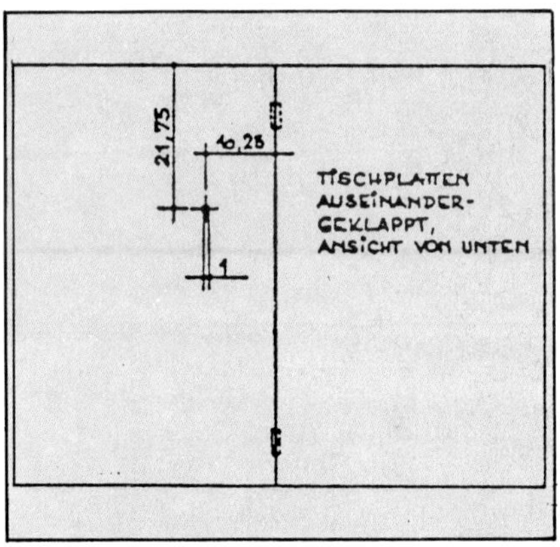

Hier die Maße, nach denen Sie den Drehpunkt auf der Plattenunterseite anreißen. Vorsicht: Nicht die Tischplatte durchbohren! Wenn Sie exakt gearbeitet haben, liegt die aufgeklappte Platte so auf dem Gestell, daß der Überstand an den Seiten jeweils gleich ist.

Schachspiel und anregende Getränke passen gut zusammen. Warum also nicht das eine mit dem anderen verbinden? Der hier beschriebene rollende Schachtisch läßt sich bei weggedrehter und zusammengeklappter Platte auch einfach als Hausbar benutzen oder recht platzsparend in einer Ecke parken.

Dieses Möbelstück verlangt sehr präzises Arbeiten und belohnt seinen Erbauer dafür durch den gediegenen Eindruck solider handwerklicher Ausführung.

Die Kombination von furnierten Spanplatten und Massivholz führt zu einer stabilen Konstruktion, ohne dabei plump zu wirken. Die Holzverbindungen werden fast ausschließlich mit Schlitz und Zapfen hergestellt. Lediglich bei der oberen Zwischenwand sowie bei der Schublade finden Sie Dübelverbindungen.

Zuerst bauen Sie die vier Sprossengit-

Die Stoßkanten, an denen die beiden Tischplatten zusammengefügt werden. Sogenannte Vici-Scharniere bilden die Verbindung.

Präzisionsarbeit: Der Sitz des Drehpunktes der Platte muß exakt ausgemessen werden, damit sie sowohl zusammen- als auch aufgeklappt mit jeweils gleichem Überstand aufliegt.

Materialliste

Pos.	Anz.	Bezeichnung	Maße in mm	Material
1 2 3	2 2 1	Böden Tischplatten Zwischenwand	610×390 640×410 390× 90	Spanpl. 19 mm dick (nußbaumfur.)
4 5 6 7 8 9	4 4 6 1 32 1	Stollen Zargen Zargen Führungsleiste Sprossen Zarge f. Drehp.	30×30×480 30×15×580 30×15×360 30× 8×340 20× 6×110 60×15×290	Abachi
10	1	Dübel	1 ∅×225	Buche
11 12	2 2	Querbretter Seitenbretter	267× 87 348× 87	Spanpl. 19 mm dick (nußbaumfur.)
13	1	Boden	365×245	Sperrholz 5 mm dick
14 15	2 2	Muschelgriffe Vici-Scharniere	35 ∅ 45× 10	Messing
16	4	Teewagenrollen mit Einschlaghülsen	50 hoch	

ca. 12 lfd. m Nußbaum-Umleimer; 12 Holzdübel (8 mm); Einkomponenten-Kunststofflack; Lacklasur; 125 ml Wasserstoff-Superoxyd (30%); Salmiakgeist; 240er Schleifpapier.

ter. Aus den Zargen (5) bzw. (6) werden dazu Zapfen von 10 mm Länge und gleicher Dicke herausgeschnitten. Anschließend die Sprossen einsetzen.
Nun schneiden Sie noch die Zapfen aus den oberen Zargen (6) aus. Siehe dazu die Detailzeichnung „A". Anschließend werden die beiden Böden (1) vorbereitet, indem Sie an allen Ecken jeweils ein Dreieck mit 25 mm Kantenlänge abschneiden. Jetzt können wir die vier Stollen in Angriff nehmen. Entsprechend den abgeschrägten Ecken der Böden schneidet man jeweils zwei Schlitze in jeden Stollen – 3 cm von der Unterkante, 9 cm von der Oberkante entfernt. Die Schlitze für die Zargen (5) und (6) reißen Sie an, indem Sie die betreffenden Teile an die Stollen (7) anlegen. Sind die Stollen bearbeitet, kann der komplette Unterbau zusammengeleimt werden.

Das Schachbrett wird in Klebe-/Lasurtechnik aufgebracht. Die schwarzen Felder sind tatsächlich schwarz, während die „weißen" die Maserung des Holzes behalten.

Normalerweise werden Schachbretter in Furniertechnik gefertigt, eine sehr aufwendige Methode, die einige Vorkenntnisse im Umgang mit Furnieren verlangt. Wir haben's uns leichter gemacht, was nicht bedeutet, daß das Ergebnis schlechter ausfällt. Das hier beschriebene Schachbrett wurde in Lasur-/Klebetechnik hergestellt.
Bei diesem Verfahren bleicht man zunächst die furnierte Platte. Dann trägt man einen Speziellack auf und klebt die gesamte Fläche ab. Anschließend werden die dunklen Schachfelder aus der Folie herausgeschnitten. Jetzt kommt die Speziallasur auf die Fläche. Danach die restlichen Folienquadrate (also die weißen Felder) abziehen, die Oberfläche versiegeln, und fertig ist die Platte für Ihren rollenden Schachtisch mit Getränkeablage.
Übrigens: Diese Technik läßt sich natürlich auch für alle möglichen anderen Muster auf Holz anwenden. Mit entsprechend scharfem Werkzeug und ein wenig Fingerspitzengefühl können Sie so ganze Bilder auf furnierte Platten zaubern – allerdings nur in Schwarzweiß.

Zunächst kommt eine Mischung aus 30prozentigem Wasserstoff-Superoxyd und 3 Prozent Salmiakgeist auf die Nußbaumoberfläche. Nach dem Einwirken sorgfältig abwaschen (Foto: linke Seite vor, rechte nach der Behandlung) und sorgfältig schleifen.

Nachdem die gebleichte Platte mit einem um 20 Prozent verdünnten Einkomponenten-Lack grundiert wurde, klebt man die ganze Fläche mit Tesapack-Folie ab, schneidet jetzt ein 5-cm-Gitter in die Folie und zieht die Felder ab, die schwarz werden sollen.

Bevor die Lasur aufgetragen wird, noch einmal alle Kanten der Folie fest anreiben, damit die Farbe nicht unter die Folie kriechen kann. Mit einem weichen Flachpinsel nun die Lasur auftragen. Auch die Innenkanten der Platten sollten abgeklebt werden.

Ist die Lasur trocken, werden die noch verbliebenen Quadrate und Zierlinien abgezogen, und das Muster ist fertig. Abschließend erhält die Platte eine Versiegelung aus einem Einkomponenten-Kunststofflack und kann auf das Untergestell gesetzt werden.

Bar-Sitzecke mit Profil

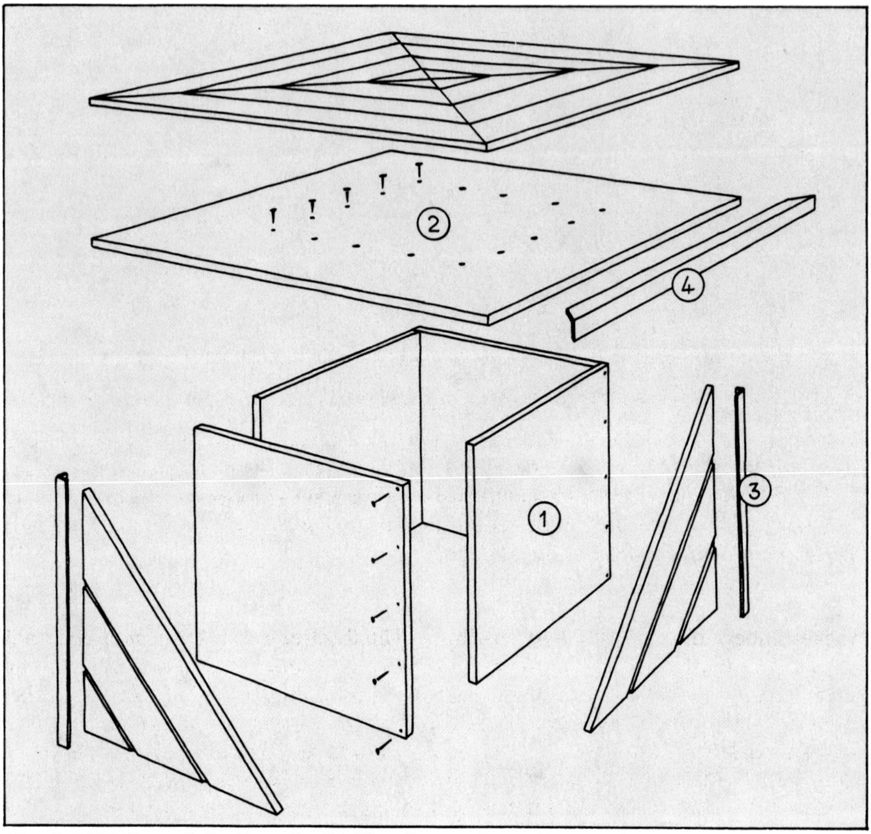

Da sich Maße und Aufbau der Eckbank zwangsläufig nach den jeweiligen Gegebenheiten richten, haben wir auf die Zeichnung und Materialliste dieser Sitzeckenteile verzichtet und uns auf die Wiedergabe des Tischs beschränkt. Hier sehen Sie sehr gut, wie der Tisch zusammengesetzt und verkleidet wird.

Natürlich kann diese Sitzecke auch einen anderen Platz finden, doch für eine gemütliche Kellerbar eignet sie sich ganz besonders. Neben ihren rein funktionalen Eigenschaften besitzt sie noch zwei nicht zu unterschätzende Vorteile: Die Materialien sind recht preiswert zu haben, und außerdem ist sie an zwei Wochenenden auf die Gasbeton- beziehungsweise Spanplattenbeine gestellt.

Die Sockel der Eckbank bestehen aus Gasbeton-Plansteinen, die mit Klebemörtel 48 cm hoch aufgemauert werden. Ausbruchstellen mit Füllspachtel glätten. Eine 19 mm starke kieferfurnierte Spanplatte, die auf 53 cm Breite zugeschnitten ist, dient als Sitzfläche. Pro Sockel nehmen jeweils zwei Gasbetondübel die Schrauben auf, die in der Sitzfläche versenkt werden.

Die Rückenfläche wird 45 cm hoch im Fischgrätmuster mit Täfelbrettern, die mit Blechklammern befestigt werden, verblendet. Als obere Abdeckung der Schnittkanten sowie als Eck- und Mit-

Klebemörtel verbindet die Gasbetonsteine mit dem Boden und der Wand sowie miteinander – eine ebenso leichte wie stabile Konstruktion. Anschließend legen Sie die Sitzflächen auf die Stützen und bohren die Löcher für die Schrauben so, daß Sie dabei gleich die Stellen markieren, in die Sie die Gasbetondübel setzen.

tenverbinder dienen Profilleisten-Zuschnitte. Landhausputz – aus dem Eimer mit der Kelle auf die Wand gebracht – läßt den grundierten Sockel rustikal wirken.

Auf den Estrich werden pflegeleichte Steinzeugfliesen mit Schnellklebemörtel verlegt.

Der Tisch bekommt eine Fußsäule aus Spanplatten. Beim Verschrauben die Schraubenköpfe versenken, damit die Täfelbretter beim Aufleimen eben aufliegen. Eckleisten verdecken die Schnittkanten. Die Tischplatte mit dem Fuß verschrauben und auf Gehrung geschnittene Täfelbretter aufleimen. Von außen nach innen arbeiten. Als Verlegemarkierung dienen angerissene Diagonalen. Als Außeneinfassung werden unter Verwendung einer schmalen Sperrholzfeder auf Gehrung geschnittene Eckleisten angeleimt.

Materialliste

Pos.	Anz.	Bezeichnung	Maße in mm	Material
1 2	4 1	Säulenbretter Tischplatte	625 × 750 1250 × 1250	Spanpl. 19 mm dick
3 4	4 4	Eckleisten Eckleisten	750 lang 1300 lang	wie Täfel- bretter

Täfelbretter 13 mm; SPAX-Schrauben 5,0 × 60; Holzleim.

Für die Verlegung im reizvollen Fischgrätverbund werden die Täfelbretter auf dem Sägetisch im 45°-Winkel exakt auf Maß abgelängt.

Die Sperrholzfeder, die jeweils zwei Bretter miteinander verbindet, treiben Sie mit Hilfe eines Beilageklotzes in die dafür vorgesehene Nut.

Die rückseitige Netzbeklebung der Fliesen ermöglicht ein großflächiges Verlegen. Es empfiehlt sich, dafür Schnellklebemörtel zu verwenden.

Für eine saubere Eckverbindung sorgen Eckleisten, die stumpf aufgeleimt werden. Die profilierte Abschlußleiste der Tischplatte wird auf Gehrung angepaßt und mit einer Sperrholzfeder um die Platte geleimt.

Beistelltische – einfach praktisch

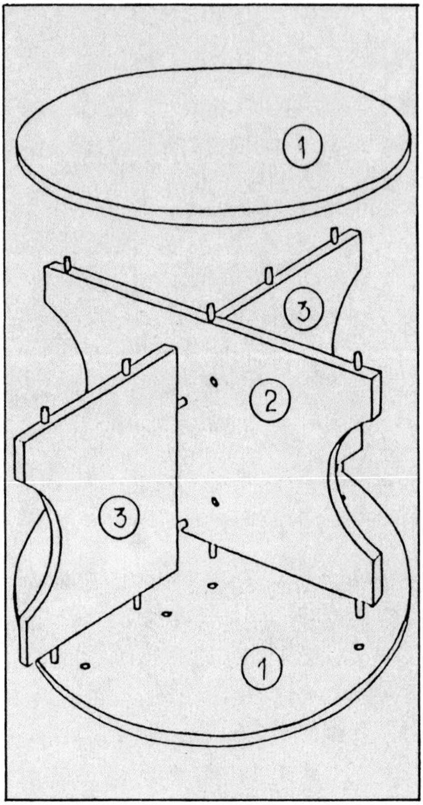

Die Zeichnung zeigt, wo die Holzdübel sinnvollerweise plaziert werden sollten.

In diesem Beitrag stellen wir Ihnen gleich zwei Tische vor, die sich in Ihrer Hausbar, aber auch sonst in der Wohnung gut sehen lassen können. Beide Tische lassen sich auch von weniger erfahrenen Heimwerkern auf die Beine stellen.

Doch fangen wir an: Da ist zunächst eine runde Sache, der Beistelltisch auf Rädern. Die mahagoni-furnierten Spanplatten werden mit der Stichsäge zugeschnitten. Anschließend furniert man alle sichtbaren Kanten mit Mahagoni-Furnierstreifen. Die stumpfen Verbindungen der Konstruktion fügen Sie mit Holzdübeln und Leim zusammen. Dann kommt die Oberflächenbehandlung mit der Spritzpistole. Rollen drunterschrauben und fertig. Wer seinen Tisch allerdings lieber mattieren möchte oder eine andere Oberfläche wünscht, sollte die Einzelteile bereits vor dem Zusammenbau behandelt haben und dann beim Verleimen sehr vorsichtig zu Werke gehen, um Kratzer zu vermeiden.

Beim Entwurf dieses aus Massivholz gefertigten Klapptisches (in unserem fotografierten Beispiel ist es Mahagoni) hat der englische Butlertisch Pate gestan-

Materialliste

Pos.	Anz.	Bezeichnung	Maße in mm	Material
1	2	Platten	Ø 800	Spanpl.
2	1	Wand	700 × 330	19 mm dick
3	2	Wandteile	340 × 330	mahagoni-furniert

18 Dübel Ø 10 mm; 4 Möbelrollen; ca. 7 lfdm. Umleimer (Mahagoni); Holzleim.

Die runden Ausschnitte der Zwischenwände werden als leicht verminderte Halbkreise angerissen und mit der Stichsäge ausgeschnitten.

Die sichtbaren Kanten werden mit Furnierstreifen beklebt. Anschließend schleifen und die Kanten leicht brechen.

den, ein Möbel, das sich vor allem dadurch auszeichnet, daß es in „Ruhestellung", also bei heruntergeklappten Seiten, wenig Platz benötigt, im „Dienst" jedoch schnell einer ganzen Reihe von Umsitzenden als bequeme Abstellmöglichkeit dienen kann. Und das mit einem Minimum an Handgriffen, denn die Seitenteile brauchen nur hochgehoben und die Stützleisten herausgezogen zu werden.

Der Zusammenbau des Untergestells

bereitet keine Probleme. Die stumpfen Verbindungen werden gedübelt. Die Tischplatte besteht aus acht stumpf verleimten Brettern. Wer keine entsprechend großen Schraubzwingen hat und sich das nicht ganz leichte Putzen der verleimten Fläche ersparen möchte, verwendet entsprechend große Leimholzplatten. Die verleimte Tischplatte in zwei Streifen von 20 cm Breite (Klappen) und ein 50 cm breites Mittelstück aufschneiden. Mit der Stichsäge die ovale Form herausschneiden und die Teile mit Scharnieren verbinden.

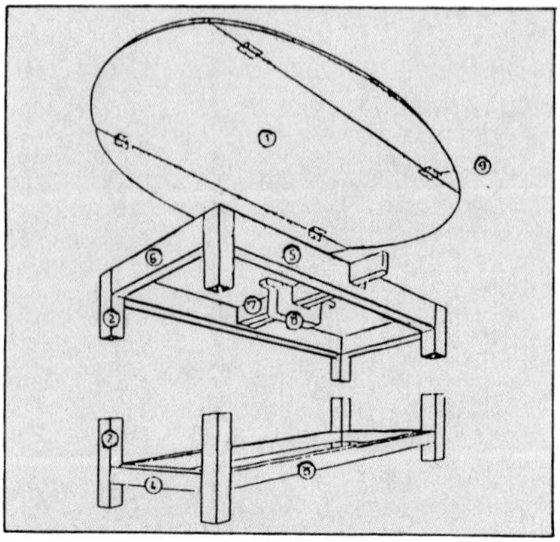

Aus dieser Sicht wird die Funktion der Stützleisten besonders deutlich. Die Halterung (8) und die Längsträger (5) werden auf 51x61 mm ausgeschnitten.

Materialliste

Pos.	Anz.	Bezeichnung	Maße in mm	Material
1	8	Bretter (f. Platte)	1500 lang	Kiefer 120 × 30 mm
2 3 4	4 2 2	Tischbeine Längsbinder Querbinder	470 lang 1010 lang 370 lang	Tanne 45 × 45 mm
5 6	2 2	Längsträger Querträger	1010 lang 370 lang	Tanne 70 × 45 mm
7	2	Stützlatten	435 lang	Tanne 50 × 30 mm
8	1	Halter	260 lang	Tanne 100 × 30 mm
9	4	Scharniere	60 × 30	

Mal Hausbar, mal Grill

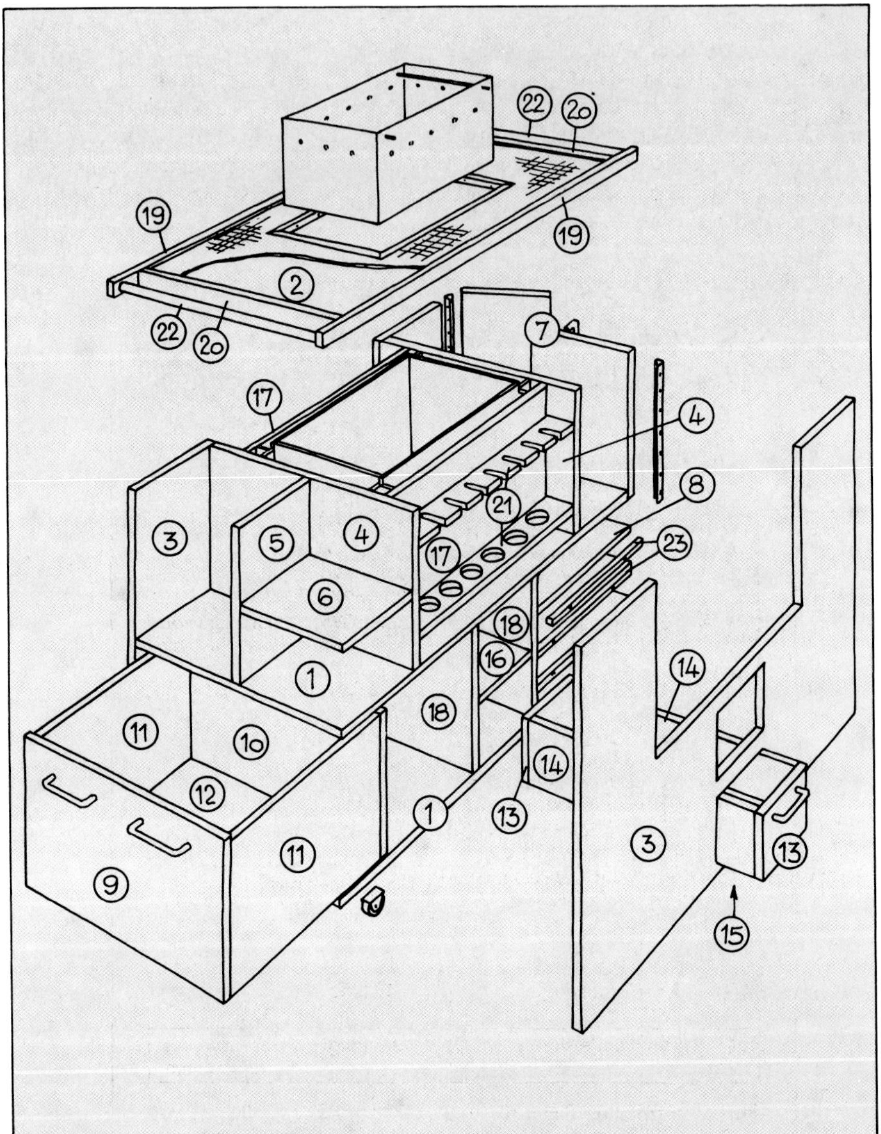

Unsere Explosionszeichnung zeigt den genauen Zusammenbau der Grillbar. Am besten numerieren Sie die Teile gleich nach dem Zuschnitt in der angegebenen Reihenfolge, die Sie auch in der nebenstehenden Materialliste wiederfinden. So behalten Sie bei der Montage immer die Übersicht.

Wer mag, kann unseren Vorschlag auch nach eigenen Ideen abwandeln. Bei uns sind die breiten Seiten identisch. An den schmalen Seiten dagegen gibt es einmal eine große Schublade mit drei Flächen darüber sowie einmal zwei Türen mit Regalböden darunter.

Unsere praktische Hausbar folgt Ihnen auf (Möbel-)Rollen, wohin Sie wollen. Ob Sie Ihre Gäste nun in der Wohnung, auf der Terrasse oder dem Balkon mit köstlich kühlen Drinks bewirten wollen: Die geräumige Bar mit den vielen Fächern und Schubladen läßt sich problemlos und schnell zum Ort des Geschehens schieben. Für gut gekühlte Zutaten sorgt eine Plastikwanne, die Sie mit Eiswürfeln und Wasser füllen. Ein Deckel aus wasserfest verleimtem Sperrholz, aus dem nur die Flaschenhälse herausragen, hält die Kälte. Und wenn Sie zur Grillparty laden, ist der Container schnell umgerü-

Materialliste

Pos.	Anz.	Bezeichnung	Maße in mm	Material
1	2	Böden	984 × 560	
2	1	Kopfplatte	960 × 560	
3	2	Seitenwände	1000 × 760	
4	2	Zwischenwände	560 × 378	
5	1	Zwischenwand	378 × 175	
6	1	Zwischenboden	270 × 175	
7	2	Türen	392 × 275	
8	3	Einlegeböden	558 × 395	grundierfol.-
9	1	Frontplatte	558 × 348	beschichtete
10	1	Rückwand	558 × 335	Spanpl.
11	2	Seitenwände	368 × 335	16 mm dick
12	1	Bodenplatte	526 × 303	
13	4	Frontplatten	165 × 165	
14	4	Seitenwände	560 × 165	
15	2	Bodenplatten	528 × 133	
16	1	Zwischenboden	560 × 167	
17	2	Zwischenwände	618 × 378	
18	2	Zwischenwände	560 × 350	
19	2	Rahmenleisten	1100 lang	Kiefer
20	2	Rahmenleisten	560 lang	20 × 20 mm
21	4	Einsätze	618 lang	Kiefer 80 × 20 mm
22	2	Griffstangen	580 lang	Buche Ø 20 mm
23	6	Laufleisten	380 lang	Kiefer 12 × 12 mm

Brandschutzplatten, 8 mm dick, je zwei 618 × 400 und 368 × 400 und eine 522 × 272 mm groß; Dämmstoffplatten Typ RP III, 40 mm dick, je zwei 522 × 375 und 272 × 375 und eine 522 × 272 mm groß; Grilleinsatz: geglühtes Stahlblech, 2 mm dick, Außenmaße 480 × 230 × 100 (L × B × T) ohne Berücksichtigung der Biegelaschen; 2 Klavierbänder je 392 mm lang; 8 Bügelgriffe; 4 Möbelrollen; Alu-U-Profil 12 × 12 × 2 mm (je zwei 542 und 292 mm lang); Stahlrohrabschnitte, Ø 8 mm, 300 mm lang; Mosaikfliesen; Fliesenkleber (wird auch zum Verfugen benutzt); Spanplattenschrauben; Holzleim; Grillrost; Plastikwanne.

Mit ein paar Handgriffen – dem Austauschen des Kühlbeckens gegen den Grilleinsatz – wird aus der rollenden Hausbar ein Grillwagen, der auch im Garten eingesetzt werden kann. Daher sollten die Möbelrollen nicht zu klein sein.

stet: Einfach den Eisbehälter gegen einen selbstgefertigten Stahlblecheinsatz austauschen. Sie brauchen nur noch einen Bratrost, den es im Handel gibt, auf das richtige Maß zuzuschneiden.

Doch jetzt zur Montage des Containers. Alle Teile werden verleimt und mit Spanplattenschrauben verbunden. Zuvor jedoch die Kopfplatte mit einem mittigen Ausschnitt (543x293 mm) für die Einsätze versehen; die Seitenwände mittig mit je zwei Ausschnitten für die Schubfächer (167x167 mm, Abstand zur Unterkante und zwischen den Ausschnitten 16 mm) und je einem (618x378 mm), der den Zugang zu den Einsätzen möglich macht. Um die Hitze des Grillkastens vom Spanplattenkorpus fernzuhalten, baut man einen Einsatz aus Brandschutzplatten, die jeweils mit 4 cm Abstand zu den Seitenkanten auf halber Höhe geschlitzt werden und sich so zum Reckteck zusammenstekken lassen. Die Isolierung wird noch besser, wenn man Dämmstoffplatten in die Zwischenräume schiebt. Auch den Boden mit jeweils einer Dämmstoff- und einer Brandschutzplatte sichern. Später noch eine Schicht Sand auf den Einsatzboden geben.

Ist der Container komplett zusammengebaut, decken Sie die überstehenden Kanten des Brandschutzkastens mit einem auf Gehrung gesägten Aluminium-U-Profil ab. Nun können Sie die Kopfplatte fliesen und verfugen. Vor dem Lackieren sollte man versenkte Schraubenköpfe sorgfältig überspachteln und anschließend schleifen. Erst nach dem Lackieren die Türen mit Klavierband montieren, die Griffe an Schubkästen und Türen sowie die Möbelrollen unter dem Boden befestigen.

Nachdem zunächst die Ausschnitte in die Platten gesägt wurden, kann mit der Auskleidung der Grillmulde begonnen werden. Die Brandschutzplatten werden eingepaßt; zwischen sie und den Korpus schiebt man noch eine Lage Dämmstoffplatten.

Die beiden längeren Rahmenleisten erhalten ca. 7 mm tiefe Sacklöcher mit einem Durchmesser von 20 mm, die die beiden Griffstangen aufnehmen werden. Jetzt geht es ans Verleimen der Kopfplatte. Der Rahmen steht um Fliesendicke plus 3 mm über.

Beim Aufschrauben der Kopfplatte auf den Korpus muß man darauf achten, daß die Schrauben gut versenkt werden, damit die Fliesen plan aufliegen können. Übrigens sollte man alle Schrauben in Flächen, die man lackieren will, versenken und verspachteln.

Holz- und Alurahmen abkleben, den Kleber aufziehen, Fliesenmatten in das Kleberbett einlegen und nach dem Abbinden sorgfältig reinigen und verfugen.

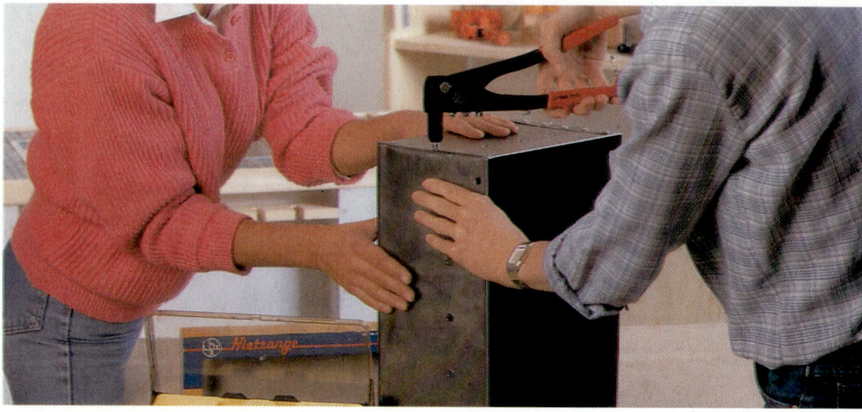

Jetzt werden die Grillkastenteile zugeschnitten, gebogen und mit der Blindnietzange verbunden. Zwischen Kasten und Alurahmen muß ein zwei Zentimeter breiter Spalt frei bleiben.

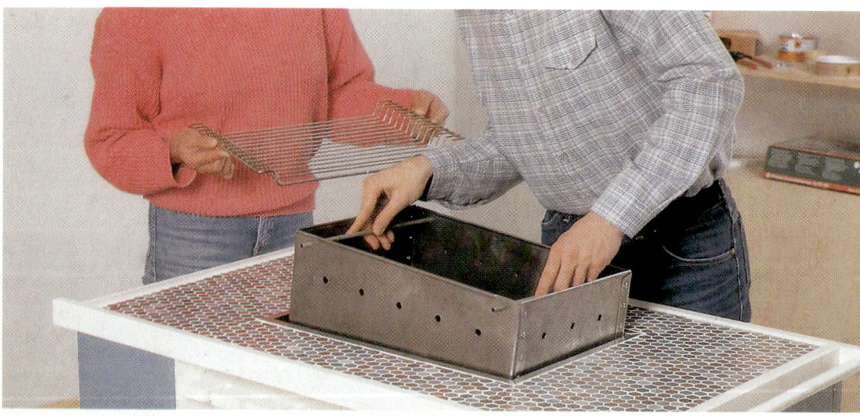

Die Seiten des Grillkastens erhalten Lüftungslöcher und je zwei 8-mm-Bohrungen am Rand, durch die man zwei Rohre einsteckt, deren Enden auf dem Rahmen aufliegen. Die beiden Rohre dienen gleichzeitig als Griffe, um den Grillkasten problemlos aus dem Container heben bzw. ihn in den Korpus einhängen zu können.

Regale für edle Jahrgänge

Wer gern Wein trinkt, kommt kaum umhin, auch welchen zu lagern. Doch wie macht man's richtig? Auf den nächsten Seiten finden Sie eine kleine Auswahl an Flaschenregalen, in denen Sie Ihren Wein fachgerecht liegend aufbewahren können. Außerdem finden Sie auf S. 73 die wichtigsten Punkte, die Sie bei der Weinlagerung beachten sollten.

Eins haben die meisten der hier vorgestellten Regale gemeinsam: Sie sind ohne großen Aufwand zu bauen und lassen sich leicht auf die unterschiedlichsten Platzverhältnisse zuschneiden. Das Wichtigste ist eigentlich – wie so oft – die Idee.

Das „Blockhaus-Regal" setzt sich aus zwei Elementen zusammen: den Vorder- und Rückseiten (660x120 mm), die

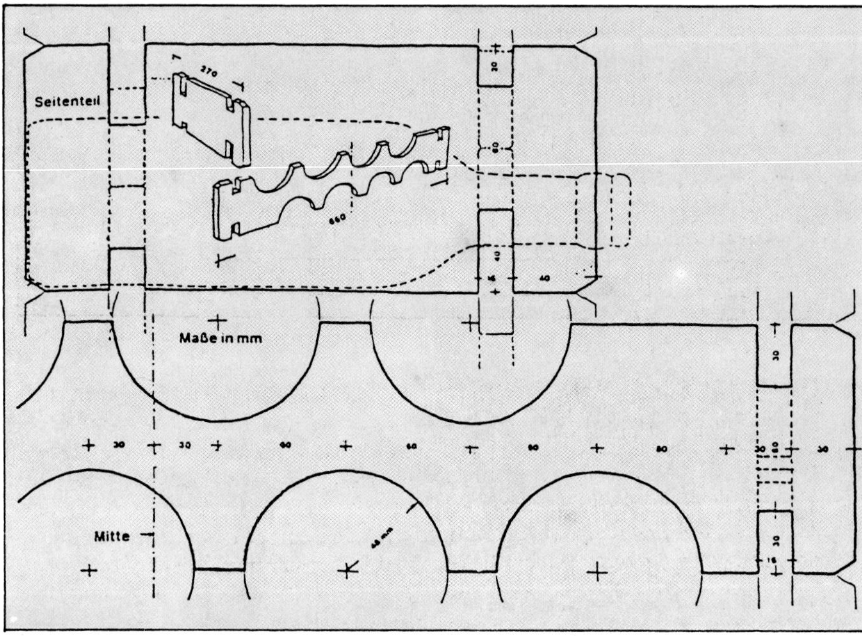

austauschbar sind und mit den Halbkreisausschnitten (Radius 48 mm) versehen werden, und den Seitenteilen (270x120 mm), die für Festigkeit und den passenden Flaschenabstand sorgen. Unser Material: 16 mm starkes gehobeltes Kiefernholz. Falls Sie ein optisch „geschlossenes" Regal wünschen und nicht vorhaben, später eventuell anzubauen, schneiden Sie die unteren und oberen Vorder- und Rückseiten lediglich an einer Seite ein.

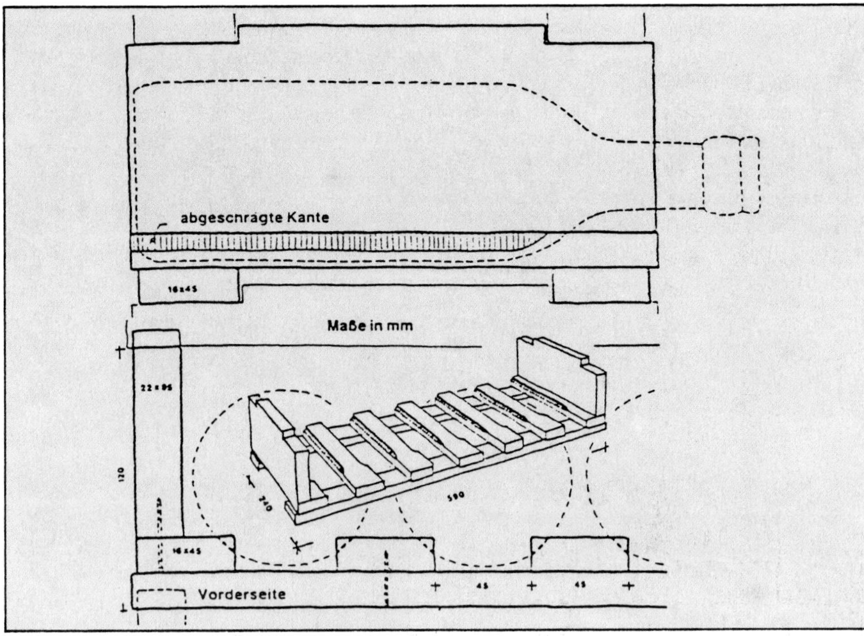

Beim Kassetten-Regal werden gleiche Fachelemente aufeinandergestapelt, die Flaschen liegen zwischen flachen Leisten mit abgeschrägten Kanten. Für die Seiten-Elemente verwenden wir wieder gehobeltes Kiefernholz (95x240 mm, 22 mm dick), für die Flaschenauflagen 16x45-mm-Leisten, zusätzlich Holzleim und Nägel.

Seiten-Elemente zurechtschneiden, an den oberen Ecken Montagefugen in der Breite der Leisten sägen. Jeweils sieben Querleisten auf die Trägerleisten leimen und nageln, auf den äußeren dann die Seitenelemente befestigen. Damit die Flaschen sicherer liegen, empfiehlt es sich, die Querleisten auf drei Viertel ihrer Länge mit Hobel, Raspel, Feile oder Elektro-Stichsäge abzuschrägen.

Wie viele Fächer Sie übereinanderstapeln, wie breit Sie die Elemente überhaupt wählen – das ergibt sich aus Ihren Raumverhältnissen und Ihrem Weinvorrat.

Auch unsere dritte Variante ist ganz aus Holz: das Steck-Regal. Kant- und Rundhölzer werden zu einer filigran anmutenden, aber nichtsdestotrotz höchst stabilen Konstruktion zusammengesteckt. 30 Kanthölzer, 40x40 mm, gehobelte Kiefer, 360 mm lang, haben wir mit dem 15-mm-Holzbohrer genau in der Kante angebohrt. 98 Rundstäbe, 15 mm im Durchmesser, verbinden die Kanthölzer. Auch dieses Regal kann natürlich in kleineren oder größeren Dimensionen gebaut werden – je nach Bedarf.

Um die Kante exakt anbohren zu können, haben wir uns einer Hilfskonstruktion bedient: Zwei Dreieckleisten werden auf eine Unterlage genagelt.

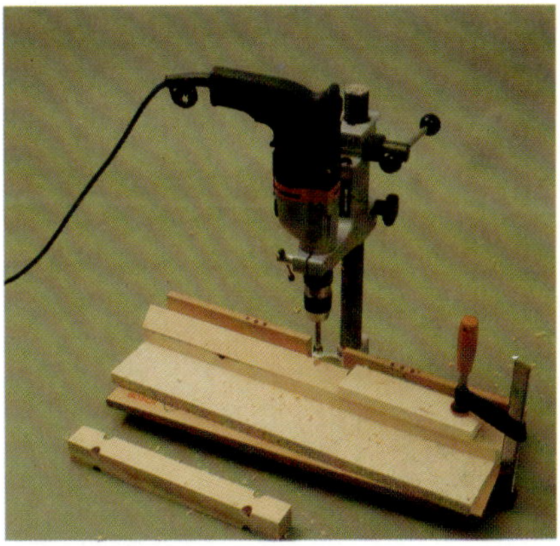

Diese Halterung fixiert das Kantholz in der gewünschten Lage. Die Bohrmaschine wird im Bohrständer festgespannt.

Eleganter wirkt das Steck-Regal, wenn die Kanten der Kiefernhölzer bearbeitet sind. Am zweckmäßigsten benutzt man dafür den Hobel.

Zum Schluß wird das Regal verleimt – bei 128 Teilen lediglich eine Fleißaufgabe.

Das Rohr-Regal hat zwei entscheidende Vorteile: Es bietet vielen Flaschen Platz auf engstem Raum, und es ist abschließbar – eine nicht zu unterschätzende Eigenschaft, wenn Kinder im Haus sind.
Sowohl 0,7- als auch 1-Liter-Flaschen wollten wir im Schrank unterbringen und entschieden uns daher für Regenfallrohr mit 10 cm Durchmesser. Mit Spezialkleber für Kunststoff-Dachrinnen läßt sich das Hart-PVC einfach miteinander verbinden.
Die Länge, auf die wir die Rohre schneiden mußten, richtete sich nach der Tiefe des Schranks, der zur „Vinothek" umfunktioniert werden sollte: 30 cm. Die vorderen Schnittkanten bitte sorgfältig mit einem scharfen Messer entgraten. Beim Verkleben darauf achten, daß die Vorderseiten jeweils plan abschließen. An der Rückseite stören kleine Längen-Unterschiede nicht.
Insgesamt 120 Rohrstücke haben wir in Doppellagen zu je 15 Stück verklebt. Klebestellen zuvor mit einem Reinigungsmittel abreiben.
Die fertigen Doppellagen – unten acht Rohre, oben sieben – wurden ohne dauerhafte Verbindung untereinander im Schrank aufeinandergestapelt. Mit der alten Hutablage des Schranks unterteilten wir die Rohrlagen in untere und obere Hälfte – einmal, um den Druck zu verteilen, zum anderen, um Rot- und Weißwein voneinander zu trennen. Damit sich die Rohrpakete unter dem Gewicht der Weinflaschen nicht allzusehr verformen, wurden sie seitlich mit Dachlatten verkeilt.

Kleine Weinkunde

- Wein verträgt keine großen Temperaturschwankungen. Deshalb möglichst nicht als „Dekoration" ins warme Wohnzimmer oder in die Diele stellen. Am besten in den Keller, allenfalls noch in stets relativ kühle Schlafzimmer.
- Den Lagerraum ab und zu kräftig lüften. Wein reagiert empfindlich auf Geruchseinflüsse. Deshalb auch nie neben Zwiebeln, Knoblauch oder nicht völlig einwandfreien Kartoffeln lagern.
- Grundsätzlich soll Wein liegend aufbewahrt werden. Der Grund: Der Korken muß stets benetzt bleiben. Trocknet er aus, „zieht" der Wein zuviel Sauerstoff und kann schlecht werden.
- Je dichter Wein gestapelt wird, um so besser kann er die Temperatur halten. Vorzügliche Aufbewahrungsmöglichkeiten: in einem regalunterteilten Holzschrank oder in Tonröhren, die in einer Ziegelwand vermauert sind.

Inwieweit eignen sich Weine überhaupt zum Aufbewahren über einen längeren Zeitraum?
Weißwein: Ist in der Regel recht robust und kann Temperaturen bis zu 15 Grad vertragen. Zum Trinken abgekühlt wird er im Kühlschrank. Wer darin genug Platz hat, kann den „Weißen" gleich dort bei etwa 6 Grad aufbewahren. Vorsicht: Italienische Weine (Frascati, Soave) sind empfindlich und sollten eigentlich bis zum kommenden Jahr getrunken sein, damit sie noch frisch schmecken.
Roséwein: Wird eigentlich nicht gelagert, sondern jung getrunken. Ansonsten wie Weißwein zu behandeln.
Rotwein: Am empfindlichsten gegen hohe Temperaturschwankungen (minimal 8, maximal 18 Grad). Läßt sich bei konstantem Klima und je nach Sorte aber am längsten lagern.

Das kleine Regal paßt ebensogut in die Kellerbar wie auch in die Küche. Sie können mit seiner Hilfe ganze Wände oder Teile davon mit erlesenen Tropfen „tapezieren".

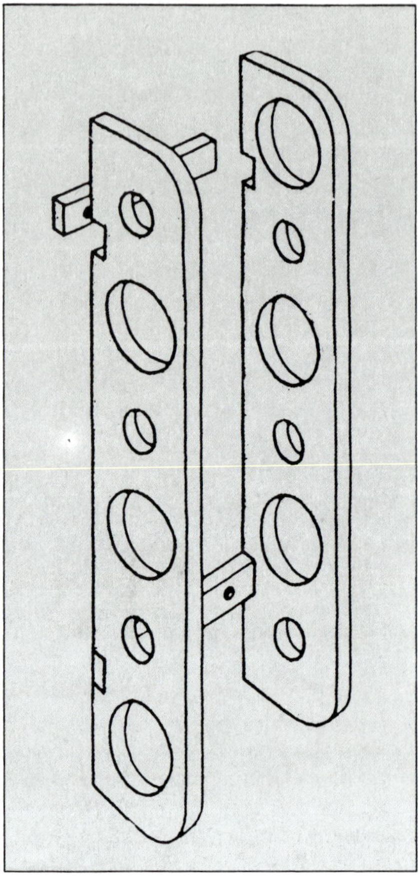

Unsere Zeichnung macht deutlich, wie einfach die Konstruktion dieses Wein-Wand-Regals ist. Beim Aussägen der Löcher muß man lediglich darauf achten, daß jeweils ein kleines und ein großes übereinanderliegen.

Für dieses Wand-Regal benötigen Sie eine Leimholzplatte in der Größe 800x250 mm, 19/20 mm dick, und zwei gehobelte Kieferleisten, 40x20 mm dick, rund 190 mm lang.

Die Leimholzplatte schneiden Sie in der Mitte längs durch. Die Rückseiten der Bretter erhalten jeweils zwei Aussparungen (siehe Zeichnung), die der Größe der Kieferleisten entsprechen. Die vorderen Ecken der beiden Bretter abrunden. Danach die Löcher gegengleich anzeichnen und ausschneiden. Die kleinen Löcher mit der Lochsäge herstellen, die großen mit der Stichsäge. Das Regal zusammenleimen, schleifen und lackieren.

Schrank-Regal für gute Tropfen

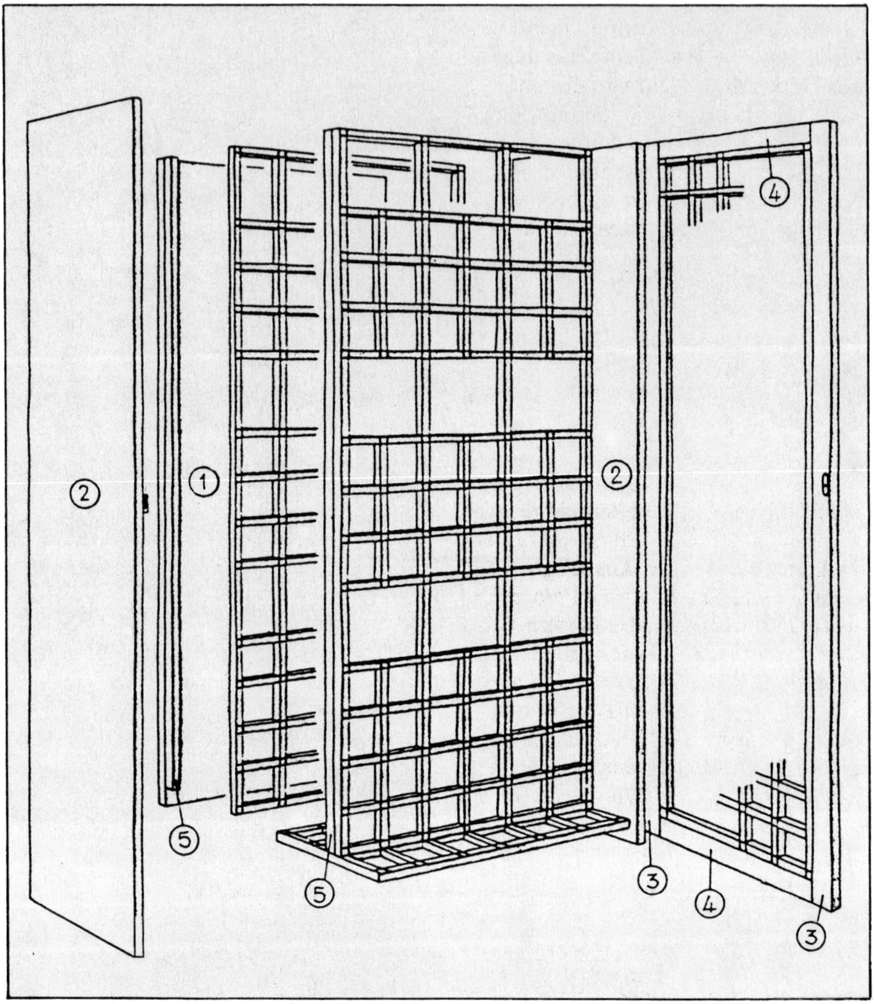

Eine weitere Möglichkeit, den Rebensaft fachgerecht zu lagern: der Flaschenschrank. Diese Kreuzung aus Regal und Schrank ist nicht nur praktisch, sondern auch sehr dekorativ. Falls Sie in Ihrer Kellerbar oder einem Nebenraum eine kühle Ecke besitzen, die stilvoll eingerichtet werden soll, hier ein Möbelstück, das diese Voraussetzung und gleichzeitig einen vernünftigen Zweck erfüllt.

In dem mannshohen Regal lassen sich ohne weiteres 60 Flaschen normaler Größe unterbringen. In unserem Beispiel haben wir allerdings auch größere Flaschen berücksichtigt, indem wir aus den vorgefertigten Gittern einfach neun Kreuze heraussägten.

Auch für diesen Regalschrank gilt: Die Konstruktion ist verhältnismäßig leicht nachzuvollziehen und verlangt keine großen handwerklichen Vorkenntnisse.

Sie benötigen insgesamt drei Deco-Pin-„Carré"-Gitter (192 × 62 cm), aus denen Sie die Ablagen, die Tür und das untere Gitter zuschneiden. Die Seitenwände wurden mit der Rückwand unter Angabe von Leim stumpf verschraubt. Rahmenleisten und Türgitter dagegen sind miteinander verleimt und verdübelt.

Zunächst werden die Seitenwände mit Rückwand und Boden verschraubt. Danach befestigen Sie die Anschlagleisten für die beiden Gitter. Unser Foto zeigt den Korpus, nachdem das hintere Gitter auf die dafür vorgesehene Anschlagleisten geschraubt wurde. Gut ist auch die rechte vordere Anschlagleiste zu erkennen, die – zusammen mit ihrem Gegenstück links – das zweite Gitter auf Abstand halten wird. Dieser Abstand zwischen den Gittern beträgt 90 mm.

Materialliste

Pos.	Anz.	Bezeichnung	Maße in mm	Material
1 2	1 2	Rückwand Seitenwände	1700 × 620 1700 × 334	Spanpl. 19 mm dick
3 4	2 2	Rahmenleisten Rahmenleisten	1620 × 69 520 × 50	Kiefer-Leimholz 19 mm dick
5	4	Anschlagleisten	1620 lang	Kiefer 30 × 20 mm

3 Holzgitter Deco Pin „Carré": daraus entstehen 2 × 1620 × 620, 1 × 620 × 295 und 1 × 1520 × 520 (Tür); 3 Scharniere; 1 Magnetschnäpper; Spanplatten-Schrauben; Holzleim; Holzdübel.

Die Tür wird mit drei Scharnieren an einer Seitenwand festgeschraubt – an welcher, hängt davon ab, ob sie nach links oder rechts aufgehen soll, und das wiederum richtet sich nach dem Standplatz des Schrankes.

Damit die Tür gut schließt, bringen Sie der Einfachheit halber einen – eventuell auch zwei – Magnetschnäpper an.

Das Weinregal ist montiert. Ob und wenn ja, in welchen Farbtönen Sie es streichen, liegt bei Ihnen.

Tabletts – einfallsreiche Traghilfen

Wenn der Schnaps gleich am laufenden Meter serviert werden soll, ist unsere Schnapslatte sicherlich eine große Hilfe. Als Geschenk zur Einweihung einer Hausbar dürfte dieses originelle Mitbringsel sicher ebenfalls sehr schnell zum Einsatz kommen und zu einem gelungenen Einstand beitragen.

Auf einem 1150×90 mm langen und schmalen Brett wird die Mittellinie gezogen und bei 470 mm der vordere Punkt für den Griff markiert. Alle 55 mm folgen nun die 15 mm tiefen Bohrungen für die Schnapsgläser. Wir verwendeten einen 40-mm-Forstner-Bohrer und benutzten einen Bohrständer, um die Löcher so präzise wie möglich auszufräsen.

Als Vorbild für den Griff diente uns der Griff einer Rauhbank, eines Langhobels. Die Form wurde mit der Stichsäge aus einem 25 mm starken Stück Holz ausgeschnitten und sorgfältig mit Raspel, Feile und Sandpapier so lange bearbeitet, bis sie „griffig“ im wahrsten Sinne des Wortes war. Griff und Brett wurden dann gewässert, geschliffen, gebeizt und lackiert. Anschließend verleimten wir den Griff auf dem Brett und sicherten die Konstruktion noch mit zwei Holzschrauben.

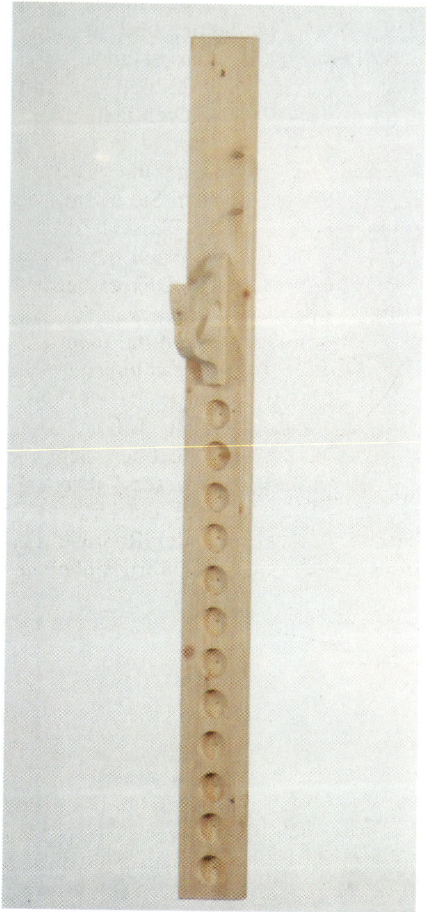

Nicht ganz so ausgefallen in der Form, dafür aber im Dekor, und bestimmt vielseitiger verwendbar ist unser nächster Vorschlag für ein Tablett. Das Material dafür finden Sie eventuell auf Anhieb in Ihrer Werkstatt – bis auf die Fliesen, aber die sind gerade das Pfiffige an der Sache. Wenn Sie heute Prospektmaterial der Fliesenhersteller durchblättern, gehen Ihnen die Augen über. Was Farben und Dekors betrifft, gibt es eigentlich nichts, was es nicht gibt. Das brachte uns auf die Idee, Dekorfliesen auf eine ungewöhnliche Weise zweckzuentfremden.

Warum nicht damit ein Tablett belegen? So etwas hat schließlich nicht jeder. Schöne Dekorfliesen bekommt man beim Fachhandel einzeln. Vielleicht sind sogar von der Renovierung Ihres Bades ein paar übriggeblieben. Außerdem benötigen Sie noch ein Stück Spanplatte, vier Leisten und zwei Griffe.

Zuerst werden die Holzteile zusammengefügt. Die Spanplatte auf das Maß von vier Fliesen (plus in jeder Richtung drei Fugen) zuschneiden. Dann setzt man den Rahmen der vier Leisten von außen stumpf dagegen. Holzleim und Nägel mit Senkköpfen sorgen für eine stabile Verbindung. Der Leistenrahmen kann bereits jetzt geschliffen und lackiert werden.

Das Aufkleben der Fliesen bereitet keine Probleme. Am besten eignet sich ein üblicher Dispersionskleber, den man dünn aufzieht. Die Fliesen fest andrükken und am nächsten Tag ausfugen. Nun müssen Sie nur noch die Griffe anschrauben – dann kann serviert werden. Haben Sie Appetit bekommen?

Materialliste

Pos.	Anz.	Bezeichnung	Maße in mm	Material
1	1	Spanplatte	420 × 620	10 mm dick
2	2	Leisten	620 × 50 × 10	Fichte
3	2	Leisten	440 × 50 × 10	

2 Griffe; 4 Dekorfliesen 20 × 30 cm; Fliesenkleber; Fugenfüller; Senkkopfnägel; Holzleim.
Bei anderen Fliesenformaten ändern sich die Holzmaße entsprechend.

Mit etwas Glück finden Sie das gesamte Material, welches Sie für das Fliesen-Tablett benötigen, im Fundus Ihrer Werkstatt.

Nachdem der „Rohbau“ des Tabletts steht, folgt das Verfliesen. Man zieht den üblichen Dispersionskleber dünn auf die Spanplatte auf, drückt die Fliesen fest an und läßt das Tablett bis zum nächsten Tag ruhen. Dann den Fugenfüller aufgießen (Foto).

Das pastöse Material muß nun gut mit dem Spachtel in die Fugen eingearbeitet werden.

Nicht etwa warten, bis der Fugenfüller vollständig abgebunden hat, sonst wird das Reinigen der Fliesen sehr schwer. Beseitigen Sie deshalb die Reste schon, wenn der Füller zu trocknen angefangen hat.

Dart: pfeilspitzes Barvergnügen

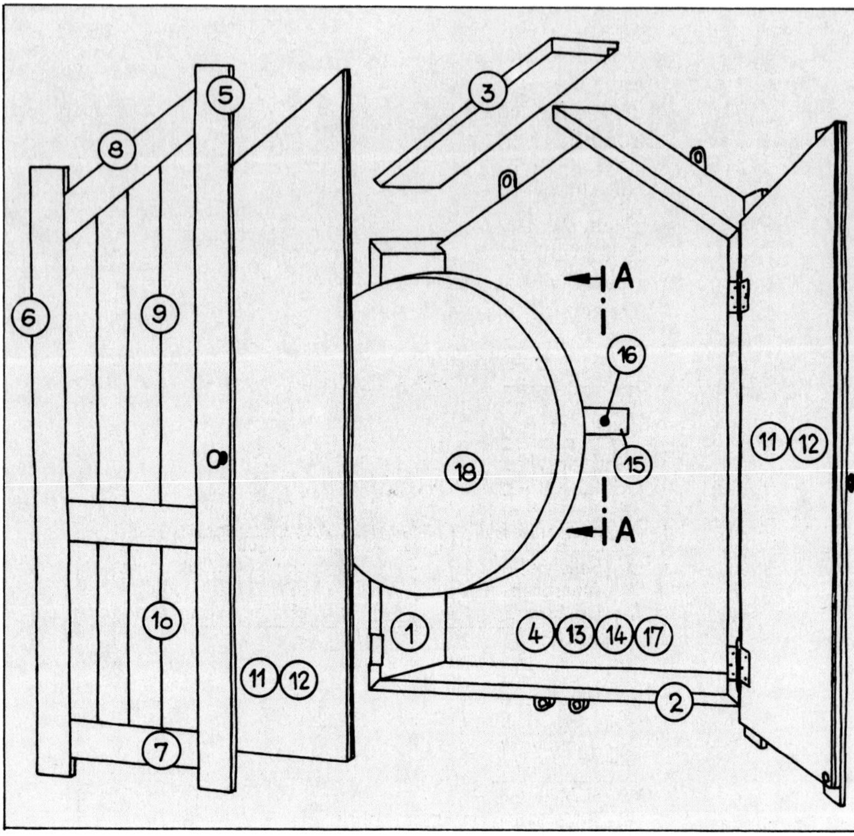
A
A

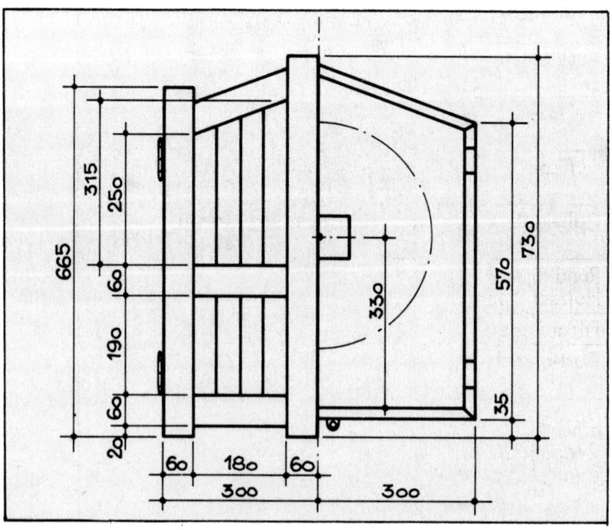
315
250
665
60
190
60
20
730
570
330
35
60
180
60
300
300

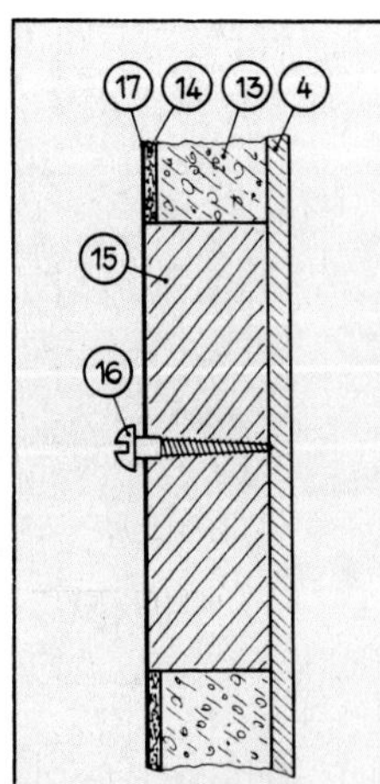
SCHNITT A÷A

Dart – das englische Wort für „Wurfpfeil" – verlieh diesem interessanten Zeitvertreib, der auch bei uns längst viele Freunde gefunden hat, seinen Namen. In Großbritannien, der Heimat diese Spieles, ist ein Pub ohne „Dartboard" kaum vorstellbar.
Wenn auch Sie Spaß am Werfen mit den kleinen Pfeilen finden wollen, dann haben wir hier eine sehr dekorative Verpackung für das Dartboard, das im Original übrigens fast 5 kg wiegt, mehr als 5 cm dick ist und aus Schweinsborsten besteht.
Und so wird's gemacht: An den Fußbodenbrettern, die den Rahmen bilden, entfernen Sie die Federn und die hinteren Nutwangen. So ergibt sich einmal das „krumme" Maß von 88 mm Breite und gleichzeitig auf einfachste Weise der Falz, in den dann die Rückwand eingepaßt wird. Nun befestigen Sie den Hal-

Materialliste

Pos.	Anz.	Bezeichnung	Maße in mm	Material
1 2 3	2 1 2	Seitenteile Querbrett Dachschrägen	570 × 88 600 × 88 320 × 88	Fußbodenbr. Tanne 20 mm dick
4	1	Rückwand	665 × 582	Sperrholz 4 mm dick
5 6 7 8	2 2 4 2	Längsleisten Längsleisten Querleisten Schrägen	730 lang 665 lang 180 lang ca. 220 lang	Tanne 60 × 12 mm
9 10	8 8	Türfutterleisten Türfutterleisten	315/250 lang 190 lang	Tanne 45 × 10 mm
11	2	Trägerplatten	710 × 297	Sperrholz 4 mm dick
12	2	Auskleidungen	710 × 297	Kork 2 mm dick
13	1	Auflage	640 × 560	Styropor 20 mm dick
14	1	Auflage	640 × 560	Kork 2 mm dick
15	1	Halteklotz	120 × 80	Tanne 22 mm dick
16	1	Rundkopf-Holzschraube	4,5 × 25	
17	1	Filzauflage	640 × 560	selbstkl.
18	1	Dart-board	455 ∅ ca. 55 dick	Schweinsborsten

4 Messingscharniere 50 × 18 mm; 2 Messing-Knöpfe; 2 Aufhänger; 1 Halteblech; 2 Magnetschnäpper; Kontaktkleber; Styropor-Kleber; Beize; Einlaßgrund; Nitro-Streichlack.

teklotz so auf der Rückwand, daß er die Rundkopfschraube in der richtigen Höhe (siehe Zeichnung) aufnehmen kann (das geht auch umgekehrt: Schraube von hinten ins Board-Zentrum und Haltewinkel – der zum Board gehört – auf dem Halteklotz verschrauben).
Jetzt füllen Sie den verbleibenden Raum mit Styropor aus und kleben darauf eine Schicht Kork, der jetzt mit dem Klotz bündig abschließt. Darüber kommt der selbstklebende Filz. Die Vertiefung für die Scharniere stellen Sie am besten mit einer Holzfeile her. Bei den Türen verleimen Sie die Leisten (Teile 5–10) einfach auf der Trägerplatte, die von innen ebenfalls mit Kork verkleidet wird. Neben den beiden Aufhängern wird der Schrank noch mit einem Halteblech (unten in der Mitte) an der Wand befestigt. Zum Schluß Magnetschnäpper und Knöpfe anbringen.

Auf dem Foto erkennt man deutlich den Falz für die Rückwand. Die Dachneigung beträgt 20°. Der Rahmen wird stumpf verleimt und bekommt seine Stabilität durch die Rückwand.

Die einzelnen Lagen der Rückwand: Sperrholz, Styropor und Kork.

Eine Tür von innen und von außen. Die Leisten sind einfach mit der Trägerplatte verleimt.

Spaß mit dem „Heimflipper“

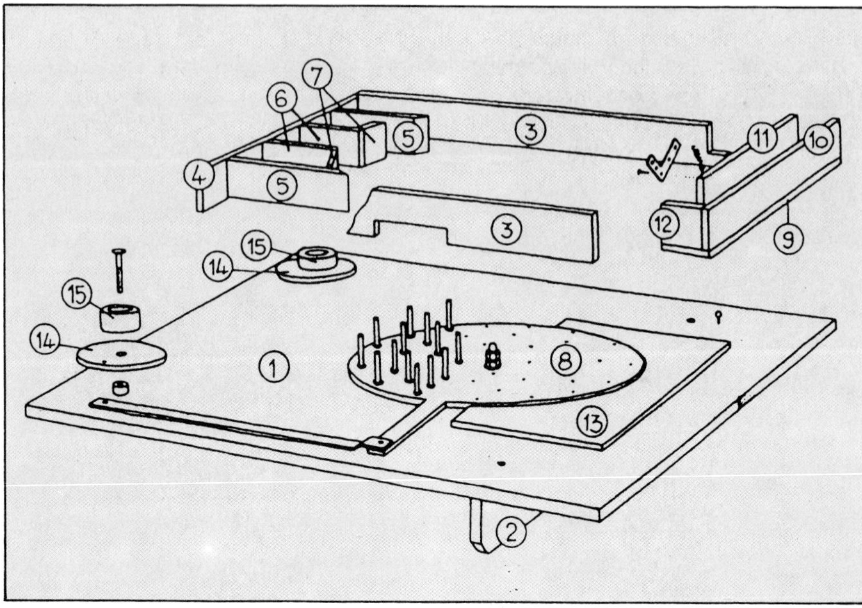

Die Explosionszeichnung macht deutlich, wie die einzelnen Teile zusammenzubauen sind. Am Teil (11) wird eine Rückholfeder befestigt, die den Winkel nach dem Anheben durch das Seil in seine ursprüngliche Lage zurückbringt.

Was den heutigen Teens und Twens das fiepende Computerspiel, war einer ganzen Generation davor der Flipper-Automat. Und der stand in nahezu jeder Kneipe. Wie wär's mit einem „hausgemachten" Verwandten für Ihre Bar? Spaß und Spannung sind garantiert, wenn sich Ihre Gäste um dieses Geschicklichkeitsspiel versammeln und ihr Reaktionsvermögen testen. Bei diesem Spiel gilt es, mit vier Tischtennisbällen die höchste Punktzahl zu erreichen. Dazu die Zielfelder wie folgt kennzeichnen: das mittlere mit zehn, die danebenliegenden mit dreißig und die äußeren mit fünfzig Punkten.

Beim Zusammenbau der nach der Materialliste zugeschnittenen Teile werden zuerst die Grundplatte und die Auflage verschraubt. Die Futterplatte bekommt einen der Drehscheibe entsprechenden Ausschnitt. Dann alle anderen Teile befestigen. Beim linken Seitenbrett vorher oben eine Ecke für den Ballkasten aussägen. Etwas tiefer ein Loch für die Zugschnur bohren. Das rechte Seitenbrett erhält vorher einen Schlitz für den Hebel, den Sie beim Ausschneiden der Scheibe seitlich stehen lassen. In vier verschieden großen Kreisen sitzen die Stifte gleichmäßig verteilt – im kleinsten vier, in den folgenden dann auf Lücke. Den Hülsenring über das vorgebohrte Loch legen und die Schraube mit festziehen. Weil die Drehscheibe durch die Grundplatte hindurch mit Unterlegscheiben befestigt wird, bleibt sie drehbar. Im Ballkasten funktioniert der angeschraubte Stuhlwinkel wie eine Schranke, wenn später die Verbindungsschnur zum Drehkopf betätigt wird. Für die Drehknöpfe Holzscheibe und Knopf zusammenleimen und mittig mit einem Loch versehen. In die flachen Scheiben jeweils am Rand ein Loch bohren. Die Drehknöpfe sitzen beweglich auf Hülsen und werden mit Schloßschrauben auf der Grundplatte befestigt. Am rechten Knopf mit einer Schraube das Alu-Profil befestigen, welches am anderen Ende direkt mit dem Hebel der Drehscheibe verschraubt wird.

Materialliste

Pos.	Anz.	Bezeichnung	Maße in mm	Material
1	1	Grundplatte	750 × 500	Sperrholz
2	1	Auflage	500 × 40	15 mm dick
3	2	Seitenbretter	540 × 50	
4	1	Frontbrett	380 × 50	
5	2	Fachbretter	180 × 50	
6	2	Fachbretter	120 × 50	
7	2	Führungen	35 × 50	
8	1	Drehscheibe	Ø 360	Sperrholz
		dazu Hebel	80 × 20	10 mm dick
9	1	Grundplatte	250 × 60	
10	1	Führung	250 × 50	
11	1	Führung	200 × 50	
12	1	Führung	50 × 50	
13	1	Futterplatte	380 × 200	
14	2	Holzscheiben	Ø 120	Sperrholz 5 mm dick
15	2	Drehknöpfe	Ø 30	Fichte 20 mm dick

44 Hülsen mit Hülsenringen; 44 passende Linsenkopf-Schrauben; 1 Stuhlwinkel; 1 Alu-Flachprofil 20 × 2 × 400 lang; 1 kleine Feder; 3 Schloßschrauben; passende U-Scheiben; 1 Skt.-Mutter; 1 Hutmutter; Spanplattenschrauben; Holzleim.

Ein beweglicher Winkel am Ballkasten gibt später die Öffnung frei.

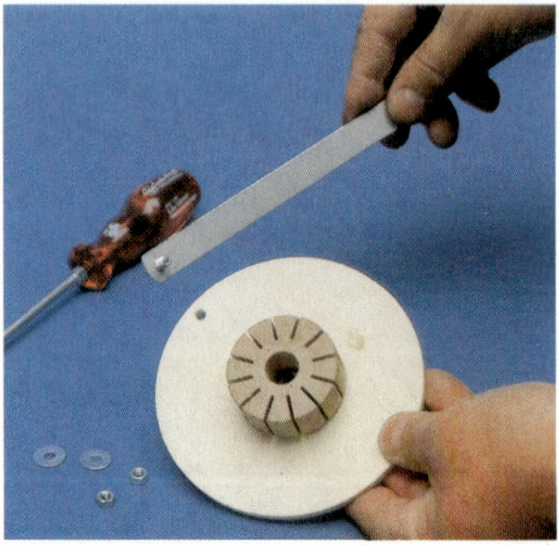

Damit die Drehknöpfe griffig sind, ringsum Schlitze einschneiden. Die Stifte auf der Drehplatte setzen sich aus Hülse, Hülsenring und Linsenkopf-Schraube zusammen.

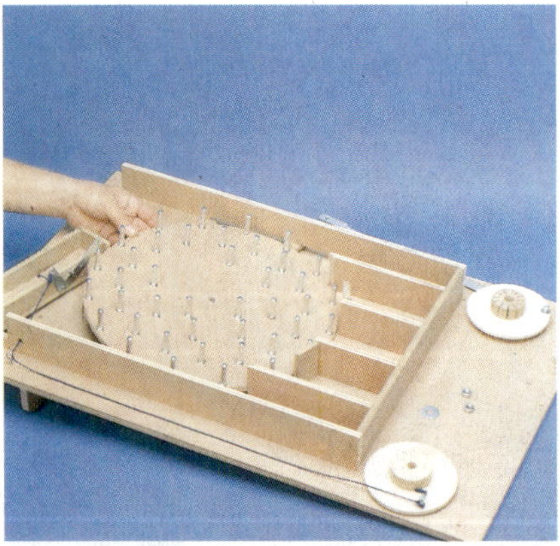

Bevor alle Teile auf der Grundplatte fest montiert werden, empfiehlt es sich, die einzelnen Teile probehalber zu fixieren, um jetzt eventuell noch etwas korrigieren zu können.

Nun erst werden alle Teile auf der Grundplatte verleimt und von unten verschraubt.

Schmuckes an der Wand

Urlaubserinnerungen in Form übriggebliebener Münzen und Scheinchen, Bierdeckel oder Flaschenetiketten, besonders schöne Fotos oder Postkarten vom Strand Ihrer Träume . . . Immer wieder stolpert man über hübsche Kleinigkeiten, denen man nicht widerstehen kann, meistens um sie dann zu Hause in irgendeiner Schublade zu vergessen.

Hängen Sie sich diesen erinnerungsträchtigen Kleinkram doch einfach an die Wand – am besten natürlich in einem Raum, in dem es sich gut in Erinnerungen schwelgen läßt. Wie wär's mit der Hausbar?

Auf dieser und den folgenden Seiten finden Sie ein paar Vorschläge, wie Sie die kleinen Dinge an die Wand bekommen.

Ob Spardose (vorhergehende Seite) oder diese Vitrinen, das Prinzip ist immer gleich: Auf den Korpus leimt man die von einem Rahmen gehaltene Glasplatte. Falls Sie das Geld nicht ganz abgeschrieben haben, sollten Sie die Rückseite nur mit kleinen Stiften fixieren.

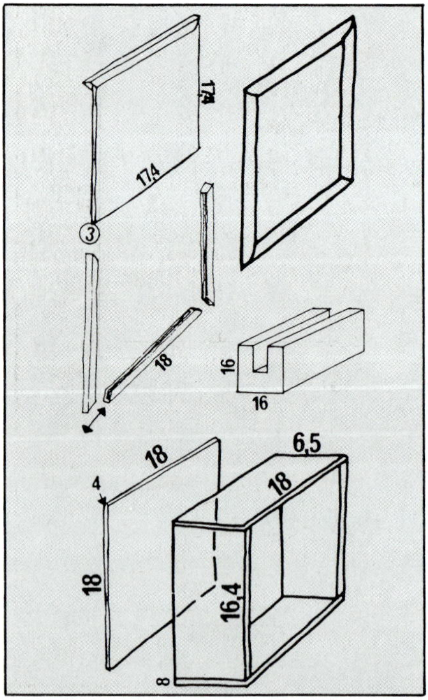

In diesem Beispiel erhielt das Vitrinchen zwei gläserne Zwischenböden. Das Holz fürs Kästchen fand sich als Rest im Hobby-Keller. Der Anstrich lenkt die Aufmerksamkeit des Betrachters auf das „Innenleben“ des dreidimensionalen Bildes.

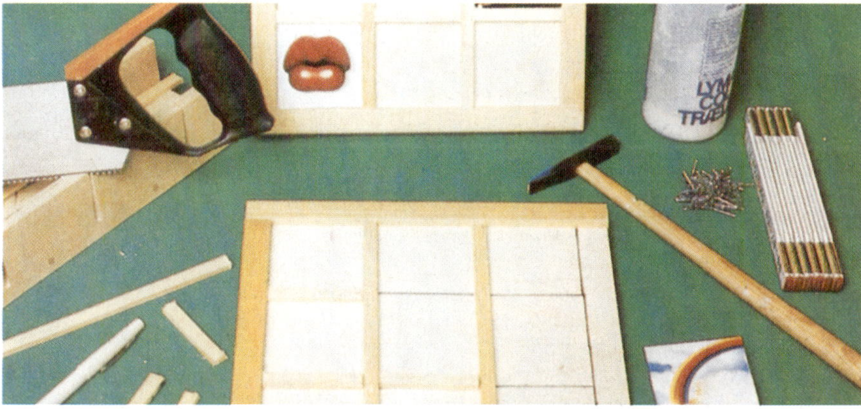

Vier Millimeter starkes Sperrholz sowie 30 und 60 Millimeter breite Kiefernleisten benötigen Sie für diese Postkartengalerien. Wie's gemacht wird, zeigt Ihnen das Foto: Sind die Kartenumrisse für die Unterteilungsleisten auf das Sperrholz gezeichnet, werden sie zugeschnitten und aufgeleimt.
Die Zeichnung unten zeigt die Konstruktion von zwei Rahmen (480 × 580 und 260 × 260 mm). Die Sprossen sind 19 und 16 mm breit.

Hier nun das quadratische „Sprossenfenster" mit den persönlichen Ansichten seines Besitzers. Je pfiffiger der Inhalt, desto mehr Gesprächsstoff bietet die Postkartengalerie – für manche Hausbarbesuche eine willkommene Bereicherung.

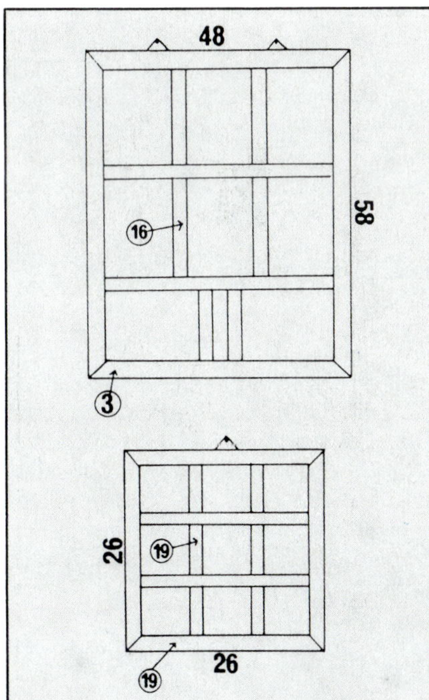

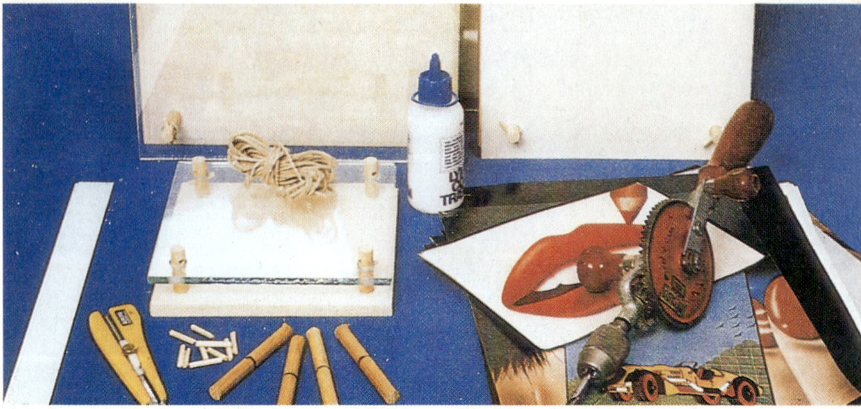

Solche gedübelten Holzrahmen sollten wegen des Gewichts der Glasscheiben eine Größe von 50×50 Zentimetern nicht überschreiten. Die vier Löcher lassen Sie am besten vom Glaser bohren. Die Grundplatte erhält vier Bohrungen, in die man die Dübel einleimt.

Sie bekommen im Abstand von 5 Millimetern zwei Bohrungen, die die Splinte aufnehmen, welche aus abgebrochenen Streichhölzern bestehen. Bitte denken Sie daran, zwei Nägel für die Aufhängeschnur in die Rückwand zu schlagen.

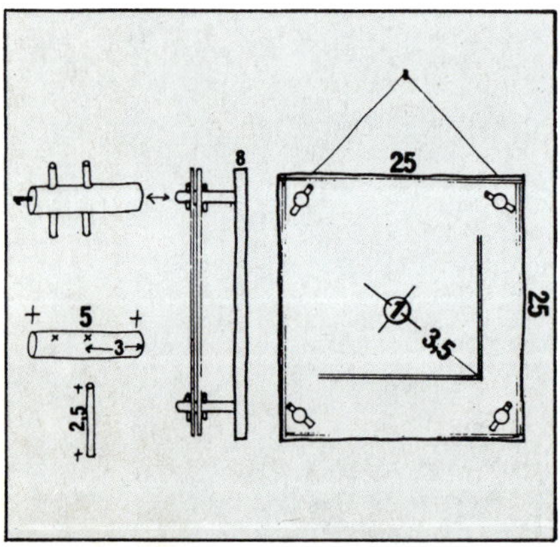

Die Zeichnung bezieht sich auf einen 25×25 cm großen Bildträger. Die Glasscheiben sind 2 mm dick. Gut zu erkennen: die Streichholzsplinte, die in den Dübeln das Foto zwischen den beiden Glasscheiben halten.

Bestimmt ist Ihnen auch schon mal so ein verrückter Schnappschuß gelungen. Und falls Sie das Bild gegen ein anderes auswechseln wollen: kein Problem.